P9-CQC-654
NEIN
NEIN
90% der Bäume im Regenwald sind Bäume
KRACH
BRECH
Wenn gar nichts mehr hilft,
Augenbrauen hochkämmen.

Beate Dölling

Sechste Stunde Dr. Schnarch

© Didier Laget

Beate Dölling, 1961 in Osnabrück geboren, hat sich früher selbst mit ihrer besten Freundin im Unterricht geschrieben. Heute ist sie Autorin zahlreicher Kinder- und Jugendromane, die mehrfach ausgezeichnet wurden. Außerdem schreibt sie für Deutschlandradio Kultur und gibt Schreibwerkstätten. Beate Dölling lebt mit ihrer Tochter in Berlin.

Weitere Bücher von Beate Dölling: siehe Seite 4

Bianca Schaalburg und *Katja Spitzer* arbeiten gemeinsam im Berliner Atelier petit 4. Für dieses Buch schlüpfte Katja Spitzer in die Rolle von Alex und Bianca Schaalburg übernahm Emilys Kritzeleien.

Beate Dölling

Sechste Stunde Dr. Schnarch

Mit Illustrationen von
Bianca Schaalburg und Katja Spitzer

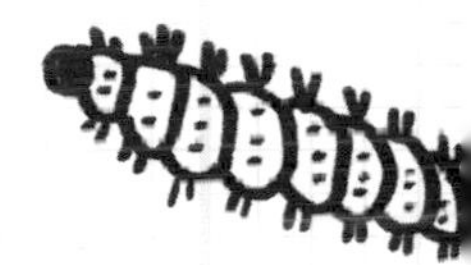

Deutscher Taschenbuch Verlag

Von Beate Dölling sind bei dtv junior außerdem lieferbar:
Auf die Liebe, fertig, los!

gemeinsam mit Didier Laget:
Küsse kennen keine Grenzen
Lügenbeichte

Für meine ehemalige Schulfreundin
Marion Claus

Das gesamte lieferbare Programm von dtv junior
und viele andere Informationen finden sich unter
www.dtvjunior.de

2. Auflage 2013

Umschlagkonzept: Balk & Brumshagen
Umschlagbild und -gestaltung:
Bianca Schaalburg und Katja Spitzer
Lektorat: Anke Thiemann
Gesetzt aus der Horley Old Style BQ 11,3/15
und der Avenir LT Std 10,45/15
Satz: Greiner & Reichel, Köln
Druck und Bindung: Kösel, Krugzell
Gedruckt auf säurefreiem, chlorfrei gebleichtem Papier
Printed in Germany • ISBN 978-3-423-76075-1

Deutsch

Ich fass es nicht. Dieser Henry aus der 9b hat mir gerade eine SMS geschickt. Du kommst nie drauf, was er geschrieben hat!

Gut, dass du mich auf die Folter spannst, Em, genau im richtigen Moment, fast wäre ich eingepennt. Doktor Schnarch mit ihrer monotonen Lesestimme hat eine enorm einschläfernde Wirkung auf mich. Also, weck mich, sag schon, was Henry geschrieben hat.

Hol erst mal tief Luft, denn die wirst du brauchen!

ES REICHT JETZT AN FOLTER!

Ich liebe dich über alles!

Ja, ich dich auch … Nun sag schon!

Nicht dich!!! Henry!!! Mich!!!!!!!!!!!!!!!!!!

Ach so. Prima. Wann ist Hochzeit?

Du Blöde!

Wieso? Endlich kannst du dir
ein Hochzeitskleid entwerfen.

Oh ja! Ein altrosafarbenes, das in Creme changiert, aus Tulpenblättern mit Wolkenschaum.

WOLKENSCHAUM?

Wolkensaum. S – a – u – m. Kennst du keinen Saum?

Du hast aber Wolken**schaum** geschrieben. – Hören wir jetzt auf? Ich kriege Hunger. Bei Wolken**schaum** muss ich an so luftigen Pudding denken. Steckst du das Heft ein?

Nachmittags. Auf meinem Bett.

Kaum zu glauben, dass Henry mir mitten im Unterricht eine SMS schreibt, und dann noch so eine! Ob er dafür extra auf Toilette gegangen ist? Dass ich mein Handy anhatte, war reiner Zufall. Gut, dass Frau Doktor Singbeil so in den Text vertieft war und nichts gemerkt hat. Ich

hatte gerade ganz stark an Henry gedacht und prompt simst er. – Pure Gedankenübertragung. Oh Henry!
Ich weiß, Alex, du findest ihn nicht so cool. Du hast ja gesagt, wenn wir ihn auf unserer Ranking-Liste hätten, würdest du ihm eine 4– geben. **Warum eigentlich?** Du kennst ihn doch gar nicht. Gut, ich kenne ihn auch nur vom Sehen, aber ich spüre schon länger, dass wir füreinander bestimmt sind. Und jetzt das! So eine SMS!
Okay, dir ist er irgendwie zu locker. – Ich weiß ehrlich nicht, was an „locker sein" ein Problem ist. Es ist doch cool, wenn einer „locker" ist und sogar mit einem Mädchen REDEN kann. Dazu braucht ein Junge ja erst etwas Reife. Unsere Jungs aus der Klasse liegen da noch voll in den Windeln – bis auf ein paar Ausnahmen: Martin, Tobias und Johan vielleicht. Aber Henry hat einen coolen Humor! Ich hab dir ja noch gar nicht erzählt, dass ich ihn heute Morgen an der Bushaltestelle getroffen habe. Echt, man kommt auch zu gar nix vor lauter Unterricht. Auf jeden Fall hat er mich ganz süß angelächelt. MICH! Obwohl neben mir diese Blonde aus der 9a stand, die mit dem Push-up-Busen. Sie hat sich tödlich graziös ihre Mähne aus dem Gesicht geschüttelt und nebenbei noch ihre lupenreinen Zähne zur Schau gestellt. Aber Henry hat nur mich angelächelt! Und dann MIR diese SMS geschickt. Er ist sooo süß!

Später

Schade, dass du schon wieder beim Zahnarzt bist, Alex, sonst müsste ich mir hier jetzt nicht die Finger wundschreiben und könnte dich von Henry überzeugen. Allein seine dunklen Augenbrauen. So was von schön geschwungen! *Lechz.* Dann seine gerade Nase und die vollen Lippen. Und die leicht gelockten Haare nicht zu vergessen! Haselnussbraun, wie ein knuddeliger Koalabär oder ein knuffiges Rentier oder ein seidiger Hirsch …

Später

Musste leider aufhören, weil Luise ins Zimmer gestürmt kam. Ich frage mich wirklich, ab wann man kleinen Geschwistern beibringen kann, anzuklopfen. Sie ist immerhin fast fünf! In dem Alter konnte ich schon staubsaugen! (Kleiner Scherz) Aber echt mal, ich klopfe immer bei ihr an. Das findet sie total normal. Jetzt macht sie übrigens gerade eine meiner Materialschachteln auf und möchte mit mir eine Model-Collage basteln. „So eine *söne* Frau mit einem *sönen* Kleid.“ – Ich stelle mich taub. Nur weil sie mir letztens helfen durfte, ein Sommerkleid zu entwerfen, muss das ja jetzt nicht in Beschäftigungstherapie ausarten, wo ich sowieso fast jeden Nachmittag auf das Kind aufpasse. Hast du’s gut, dass dein Bruder schon groß ist (groß und stark, mit Sixpack :-)).

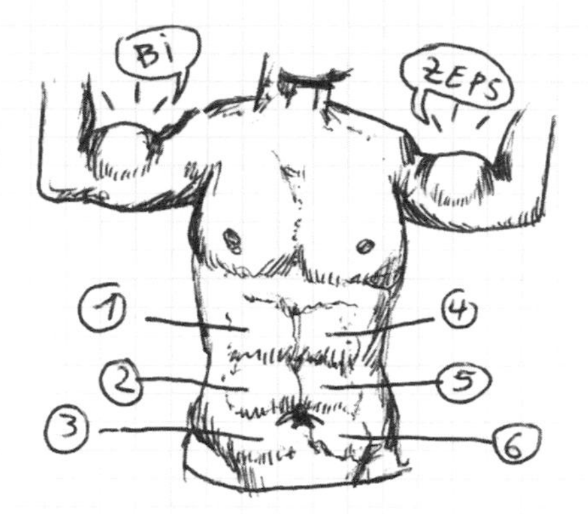

„Nein, Luise, heute nicht", habe ich jetzt schon zweimal NETT gesagt, weil sie meine Schreiberei hier schamlos ausnutzt und sich einfach meine Sachen nimmt. Das Kind hört einfach nicht! Also, eins sage ich dir, wenn ich mal Kinder habe, dann bring ich ihnen als Erstes bei, dass Nein auch Nein heißt. Und damit basta!

Ich muss jetzt echt eingreifen! *By the way* – wie unsere gute, alte „Mrs Secret" sagen würde –, wie geht es eigentlich deinem Bruder? Ich habe Jakob lange nicht mehr gesehen. Hat er eine neue Freundin oder ist er gerade Single?

DIENSTAG

Mathe

Na, du Kinderschänderin, was gibt es Neues?

Hey, ich hab mir gestern Nachmittag die Finger wundgeschrieben und du schreibst nur einen Satz? Und dann ist es auch noch eine Gegenfrage! – Okay. Das kann ich auch: WIE WAR ES BEIM ZAHNARZT??

Gut

Gggggrrrrrrrrrrrrrrhhhh!!!!!!!!!!!!!!

Nee, wirklich. Wenn ich Glück habe, brauche ich keine Zahnspange. Meine Backenzähne sind nur leicht gedreht. Alle anderen sind perfekt. Jetzt muss ich noch auf die letzten Zähne warten.

Wie jetzt? Du kriegst noch Zähne?

Ja, klar. Du etwa nicht?

Ich weiß nicht, ich dachte, ich hätte schon alle.
Wo kriegst du denn noch Zähne?

Im Mund.

Ha, ha!

Schon mal was von Weisheitszähnen gehört? Wahrscheinlich nicht. Das spricht nicht gerade für deine Intelligenz, Emily Fischer.

Weisheit ≠ Intelligenz

Schreib das an die Tafel! Frau Wachholz wird sich dann logisch mit dir auseinandersetzen;-).

Nein danke, muss nicht sein, Alexandra … Dann sag du Intelligenzbolzen mir doch, was ich Henry zurücksimsen soll.

Das willst du nicht wirklich hören, oder?

Wenn du schon wieder so anfängst, lieber nicht. Ich muss jetzt auch aufpassen. Versteh nämlich nur Bahnhof.

Ostbahnhof, Hauptbahnhof oder Südkreuz? Hihi.
Okay. Lass uns in Geschichte weiterschreiben.

Geschichte

Gib mir doch mal einen Rat. Ich weiß wirklich nicht, was ich nun mit HDW machen soll.

Wer ist denn HDW schon wieder????????

Henry David Wilker!!

Der Typ, der dich heiraten will? Der mit den haselnussbraunen, gelockten Locken? Der Koalabär? Übrigens hat ein Koalabär so eine Pracht gar nicht, er ist auch eher arschgrau mit weißen Flecken am Hintern ;-). Aber es gibt haselnussbraun gelockte Büffel, Wollhaarmammuts oder Orang-Utans. Auch Esel sind mitunter braun gelockt …

Du bist ja mal wieder sehr charmant. Und du meintest bestimmt **aschgrau**! Nee, wirklich jetzt. Ich weiß echt nicht, ob ich zurücksimsen soll. Und wenn ja, was? Oder ob ich warten soll, bis er sich noch mal meldet?

Weiß ich auch nicht. Eine Frage, Emily, gestern hast du geschrieben, er könne nicht nur gut mit Mädchen reden, er hätte auch Humor. – Woher weißt du eigentlich, dass er Humor hat, wenn du ihn gar nicht kennst?

Ah, da kommen wieder die gefährlichen Alex-Fangfragen – wenn du mich schon „Emily“ nennst. Aber ich kann dir versichern, ER HAT HUMOR, schon allein durch seine Mimik. Er kann tödlichst lässig eine Augenbraue hochziehen, wie Jean Dujardin!

Wer ist noch mal Jean Dujardin? Ist das nicht ein Whisky?

Nein. Du meinst *Johnny Walker*. Jean Dujardin ist der süße Schauspieler in *The Artist* – der Stummfilm, du erinnerst dich?

Ach ja, mit *Uggie*, diesem supersüßen Hund, ein „Jackie" – Jack-Russell-Terrier. Die sind außerordentlich intelligent, haben Mut, Temperament und Ausdauer und verfügen über ein enormes Lauf- und Springvermögen. Wusstest du das? Ich hätte auch gern einen. In Amerika ist ja die reinste Hundeliebe nach *The Artist* ausgebrochen. Uggie hat auf *Facebook* sogar seine eigene Seite und schon mehr als 15 000 Freunde.

Du warst auf *Facebook*? Mit Bruder Jakob?

Ja, wird Zeit, dass ich endlich 13 werde und selbst reindarf. Hab echt keinen Bock mehr, Jakob immer nur über die Schulter zu gucken. Meine Eltern sind da leider total streng. Du hast es gut!

Ja. Seit ich 13 bin, sehe ich alles mit anderen Augen.

Mit welchen denn, Hühneraugen?? Hihi.

Da spricht der Neid der noch 12-Jährigen.

Es hat durchaus Vorteile, jünger zu sein. Warte ab, wenn du schon 40 bist (alte Schachtel!!), bin ich noch ganze drei Monate 39! Das macht viel aus.

Quatsch. Es gibt Anti-Aging-Cremes und Botox. Damit wird man überhaupt nicht mehr alt. – Apropos Alter, HDW ist schon 16. Wie dein Bruder. ☺

Uggie ist 10 und geht schon in Rente.

Zehn Hundejahre entsprechen 70 Menschenjahren. Ist also ganz normal, dass er in Rente geht.

Ja. Und gut. Er hat ja gerade noch einen Filmpreis gewonnen: das *Goldene Halsband*. Wobei die Konkurrenz echt groß war. Es gab Doggen, die Roller fahren konnten, oder Dobermänner, die auf Kommando die Zähne fletschten, und all so was.

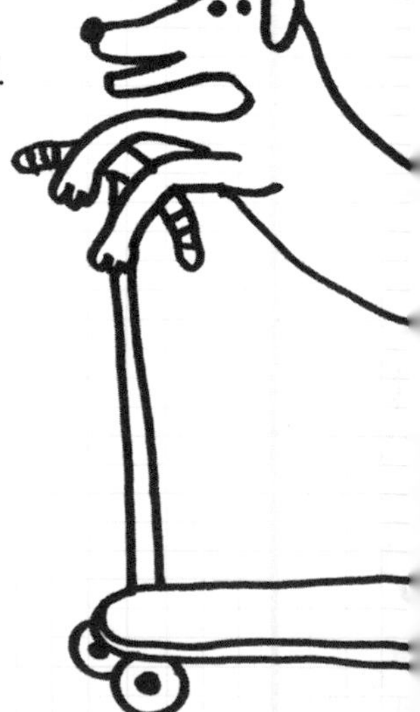

Ist ja irre! Ja. Uggie ist schnuppersüß. Jean Dujardin auch. Und HDW erst mal!

Schwärm, lechz. Also wenn der eine Augenbraue hochzieht und dich dabei anguckt, bist du hin und weg.

Schön. Schön. Jetzt sind wir wieder bei HDWs hochziehbarer Augenbraue. Allerdings frage ich mich: Was hat das mit Humor zu tun?

Er bringt einen damit zum Lachen. Und alles, was einen zum Lachen bringt, liebe Alexandra, hat automatisch mit Humor zu tun. So ist das nun mal. Außerdem ist es charmant. Echt, achte mal drauf. Wirklich zum Dahinschmelzen!

Muss ich mir gar nicht angucken. Wirkt bei mir eh nicht. Stell dir mal vor, wir wären beide in denselben Typen verknallt.

Quelle catastrophe!

Insofern ist es gut, dass ich einen kühlen Kopf bewahre. Und jetzt hab ich doch einen Tipp: Schreib ihm zurück: „Zieh Leine, ich kenn dich doch gar nicht!"

Ja. Super. Das mache ich. Jetzt gleich in der kleinen Pause. Natürlich ohne: ZIEH LEINE! Ggggggrrrrrrrrrr, Alex, also wirklich!!

Meines Erachtens lässt du dann genau den falschen Teil vom Satz weg. Ich muss gleich schnell mal ins Sekretariat, wegen meinem verlorenen Schülerausweis. Schreib mir dann in Franz, was in der Pause war, ja?!

Französisch

Mist, HDW scheint sein Handy nicht mit in die Pause genommen zu haben und ich habe ihn nur von Weitem gesehen, hinten, in der „Raucherecke". Stell dir vor, er raucht! Ich habe es dann beim Klingeln so arrangiert, dass wir uns beim Reingehen „zufällig" auf der Treppe begegnen. Er hat mir zugezwinkert, leider auch „dem Sessel". (Du weißt ja, wen ich damit meine). Das irritiert mich jetzt schon ein bisschen, zumal der Sessel doch eher unscheinbar aussieht, mit ihrem grauen Kleid und der schwarzen Strumpfhose – auch wenn es mindestens eine Strumpfhose von *Wolford* ist. Dabei habe ich heute extra mein frühlingsgrünes Top mit den Schlagärmeln angezogen, das mir doch so gut steht und auffällt, wegen den großen Naht-Stichen.

Ja, du hast einen Stich … Was heißt hier einer …? Nee, aber mal im Ernst. Folgendes sollte dir zu denken geben:

1. Er raucht! Völlig bescheuert! Das ist nicht nur schlecht für den Hals, sondern bleibt auch in den Klamotten hängen. Man riecht noch tagelang nach einem Aschenbecher. Ganz zu schweigen von dem Risiko, Krebs zu kriegen: z. B. Lungenkrebs, Zungenkrebs, Mundkrebs, Nasenkrebs, Zahnkrebs, Fingerkrebs etc.

Und:

2. Wenn er statt auf dich, auf den Sessel – alias Cecile Falkenstein – steht, dann kannst du eh anziehen, was du willst. Sogar deinen himbeerfarbenen Kunstfellmuff (bei 37 Grad). Dann steht er nämlich nur auf langweilige Massen-Marken-Tussis (sogenannte MMTs), schätzt deine Nähkünste nicht und hat keine Ahnung von inneren Werten. Außerdem möchte ich dich nur daran erinnern, dass du bei Paco aus der Parallelklasse und Fabian Grabowski auch schon mal geglaubt hast, ihr seid füreinander bestimmt, nachdem sie dir fette Liebeserklärungen gesimst hatten. (Und was ist denn *Wolford* – meinst du, sie hat die Strumpfhose vielleicht von *Woolworth*?)

Lass bitte Fabian Grabowski aus dem Spiel (dieses Kind!) und erwähn bloß nicht Paco! Seit der mich in die Ecke geschubst hat und küssen wollte, will ich nichts mehr mit dem zu tun haben! Das war echt brutal. Mit HDW ist das was ganz anderes. Er schreibt MIR so eine SMS, obwohl IHN total viele Mädchen anhimmeln. Ich finde ja auch, man sollte langsam aufeinander zugehen. Deshalb habe ich ihm vorhin auch geschrieben: „Ich kenn dich doch gar nicht." Bitte, Alex, drück mir mal EHRLICH die Daumen, dass er mir zurücksimst!!! Außerdem gibt es keinen Zahnkrebs – und wieso Fingerkrebs? Und was meinst du eigentlich mit „inneren Werten"? (*Wolford* ist eine Firma, die extravagante und teure Unterwäsche und Strumpfhosen herstellt.)

Na, eben Einfühlungsvermögen, Rücksicht, Vorsicht … was weiß ich. Dass man sich nicht benimmt, als drehe sich die Welt nur um einen selbst. Zum Beispiel wie der Sessel.

Wieso? Cecile hält sich doch eher im Hintergrund.

Ja, aber nur, weil sie arrogant ist und mit uns Gemeinsterblichen nichts zu tun haben will.

Huch, das sind ja deutliche Worte. Wie kommt's? Beim letzten Mädchenranking hat sie noch eine 3- von dir bekommen und von mir eine 4, wenn ich mich recht erinnere, weil ich ja letztes Mal schon gesagt habe, sie ist eine MMT (super Abkürzung, Alex!). Hast du ihre neue Handtasche gesehen?

Ja. Von Luis Vuttonn.

LOUIS VUITTON!!!

Sag ich doch!!!

Seit wann geht man mit so einer Tasche in die Schule?

Das ist doch nur eine chinesische Fälschung. Weißt du nicht, dass die Chinesen alles fälschen? – Schuhe, Taschen, sogar ganze Stadtteile. Stell dir vor, die haben Sehenswürdigkeiten von Paris und Florenz nachgebaut.

Quatsch! Cecile Falkenstein trägt keine chinesischen Fälschungen! Bei der ist alles echt.

Woher willst du das wissen?

Weil ihr Vater Banker ist und die Mutter die Tochter von *Wolford*.

Nee, echt????? Von dieser noblen Strumpfhosenfirma?

Keine Ahnung. Von irgendeiner großen Firma eben. Sie sind jedenfalls stinkreich.

Ich finde, auch wenn man stinkreich ist, muss man nicht so arrogant tun. Mich beachtet sie überhaupt nicht. Ich glaube, sie hat in den drei Wochen, die sie nun schon

in unserer Klasse ist, noch nie ein Wort
zu mir gesagt. (Außer, dass sie Cecile heißt,
wo wir verstanden haben: Sessel.)

Es sind fast schon vier Wochen, Alex. Ja, sie sagt echt nicht viel. Können ja nicht alle so gut reden wie du.

Ha. Ha. Ich würde ihr heute glatt eine 5 geben. So sehr geht sie mir auf den Geist.

Na los, dann lass uns *ranken.*

Lieber gleich in Englisch. Mist. Jetzt hab ich nicht mitgekriegt, wie das mit den Reflexivpronomen bei der Verneinung ist.

Ganz einfach: In einem Satz, der verneint ist, steht **ne** VOR dem Reflexivpronomen und **pas** nach dem konjugierten Verb. Beispiel: Je **ne** me regarde **pas** dans le miroir.

Ach wirklich, Emily, du guckst nie in den Spiegel?

Englisch

Also hier sind die Mädchen, mit meiner Bewertung. Schreib deine dahinter. Kannst dir ruhig Zeit lassen. Ich muss den Rest der Stunde in Englisch aufpassen.

Steffi:	4–	Ich finde es blöd, dass sie so oft meckert, wenn sie unser Heft weiterreicht!
	4	Ja, ich auch.
Nicole:	3–	Kann ohne Steffi nichts entscheiden.
	3	Ist aber netter als Steffi.
Olga:	2+	Ihre Haare sind ein Wunder – so schwarz und lang.
	2+	Ich mag, wie sie das „r" rollt.
Natascha:	4	Streberin, die sich beim Sessel einschleimt
	4	Ja, wahrscheinlich will sie auch eine Wohltats-Strumpfhose.
Leila:	2	Nett und hat einen süßen Bruder.
	3	Bisschen lahmarschig. Und reicht dir jetzt mein „süßer" Bruder nicht mehr?
Mareike:	2	Hat leckere Lakritzkaugummis.
	3–	Mir hat sie noch keinen abgegeben.

Aisha: 2 Raffiniert, wie sie Kajal benutzt, auf dem Innenlid. Das lässt ihre dunklen Augen total schön schimmern.

1 Mathe-Ass und gibt trotzdem nicht an. Außerdem arbeite ich mit ihr in Bio am liebsten. Das stört dich doch nicht, oder?

Lina: 3+ Nett, eigentlich hübsch, wenn sie nicht sooo dick wäre.

3+ Es muss auch Dicke geben.

Carmen: 3– Nervt in letzter Zeit ein bisschen, besonders in Sport.

3– Mich auch!

Cecile, genannt der Sessel:

4– eingebildet und arrogant

4– Doof bleibt doof, da helfen keine Pillen und keine kalten Umschläge.

Somit ist Aisha eindeutig „Mädchen der Woche" und der Sessel„Tussi der Woche", in ihrem Fall sogar MMT der Woche!

Sie könnte einem schon fast wieder leidtun. Deshalb habe ich ihr auch keine 5 gegeben. Und hier die Weisheit vom Tage: Zwei süße Brüder sind besser als einer.

Das sage ich HDW, hä, hä!

WEHE!

Beantworte mal die Frage wegen Aisha.

Häh? Was meinst du denn? Ob ich okay finde, wenn du mit Aisha in Bio und Chemie zusammenarbeitest? Klar. Bin sogar froh, in diesen Fächern nicht mit dir zusammenarbeiten zu müssen. Außerdem mag ich Aisha ja auch gern. – Ich muss mich jetzt noch ein bisschen melden, damit mir „Mrs Secret" eine gute mündliche Note gibt.

Ja, mach das. Du hast es nötig.

Könntest du bitte mal Carmen unauffällig (!) fragen, ob sie mal Cecile unauffällig (!) fragen kann, wie sie HDW findet?

Sag bloß, du hast Bedenken, dass der Sessel dir HDW ausspannt?

Quatsch. Ich würd es nur gern wissen.
PS: Findest du nicht, dass unser Martin in der letzten Zeit tierisch gewachsen ist? Wenn er so weitermacht, überragt er noch Lulatsch Tobias.

Chemie

Ja. Unseren Martin gib uns heute ... Frag doch mal, ob er wieder so ein leckeres Käsebrötchen dabeihat.

Wieso ich?

Du sitzt näher an ihm dran!

Ja. Und er hat mich eben beißen lassen. Ätsch!!! 😛

Ich melde mich gleich für den Versuch. Behalt das Heft, okay?

Ja, aber sag mir vorher schnell noch, was Carmen nun gesagt hat.

Carmen sagt, der Sessel steht nicht auf HDW. Sie steht eher auf schüchterne Jungs.

Ach nee.

Doch, hat Carmen gesagt. Und jetzt melde ich mich für den Versuch!

Alex, du hättest in FLAMMEN aufgehen können, ich hatte echt ANGST um dich.

Stimmt, der Versuch war echt nicht ohne.

Das arme Gummibärchen …

Ich bin immer noch schwer traumatisiert. Wie konnte ich ihm das nur antun? Schluchz, heul … Als ich den Bunsenbrenner unter das Reagenzglas gehalten habe und das Gummibärchen plötzlich hell erglühte und anfing zu brummen und sich dann in ein flammendes Inferno auflöste. Wahrscheinlich werde ich nie wieder ein Gummibärchen essen können, ohne an den Versuch denken zu müssen.

Du wirst drüber hinwegkommen. Sonst helfe ich dir bei der Trauerarbeit. Trauer. Trauer. Schnief. Schnief. (Oder Martin tröstet dich mit seinem Käsebrötchen.)

Wie denn, wenn du andauernd davon abbeißt!

Dann füttere ich dich eben mit Gummibärchen.

Aaaaaaaaaaahhh! Das ist Kannibalismus!!

Versteh ich jetzt nicht. Eigentlich versteh ich auch nicht, warum wir überhaupt den Versuch gemacht haben. Ich meine, warum fackeln wir in Chemie unschuldige Gummibärchen ab????

MEINE KÄFERSAMMLUNG

Dienstagnachmittag

Muss dir unbedingt schreiben, was ich gerade mit meinem Zimmer gemacht habe. Schade, dass du schon wieder beim Hip-Hop bist und nicht vorbeikommen kannst. Das musst du dir echt möglichst schnell angucken. Also: Ich habe mir einen neuen Schreibtisch gebaut, ganz allein!!! Eigentlich sind es zwei Arbeitsplatten, aber egal. Habe nun eine riesige Fläche, von einer Wand zur anderen. An die Enden habe ich links und rechts jeweils zwei Beine geschraubt, dicke, runde Extrabeine, die ich bei uns im Keller gefunden habe. Nun habe ich fast drei Meter Arbeitsfläche!!! Jetzt frag nicht, wofür, Em. Die wird im Nu voll sein. Ich habe jetzt endlich Platz, um meine Bio-Bücher, Lexika und Forschungskästen aufzubauen. Dahinter an die Wand werde ich die Käfersammlung einrahmen und das Poster mit den drei Menschen aufhängen. Die, die nebeneinanderstehen und wo

- der erste nur aus Knochen besteht,
- der zweite aus Knochen, Muskeln und Sehnen
- und der dritte aus Knochen,
  Muskeln, Sehnen und Innereien

Du weißt doch, das coole Poster, das ich mir im *Charité*-Museum gekauft habe. Außerdem habe ich … Mist, es klingelt, und meine Mutter kann nicht aufmachen, sitzt gerade auf dem Klo.

Später

Em, ich sag's dir, hier ist was los! Kaum freut man sich über die neue Forschungsstation, da muss man schon wieder alles verteidigen. Stell dir vor, die Tischbeine, die ich unter meine Platten geschraubt habe, gehören Jakob und er will sie wiederhaben. Sofort! Echt, der hat hier einen Aufstand gemacht. Seit Jahren stehen sie im Keller rum, aber kaum verwende ich sie, braucht er sie angeblich … gggrrrrrrrrrr!!! Jakob will jetzt auch unbedingt was geschenkt haben und jammert wegen den Fischbeinen – äh – Tischbeinen.

Ich muss jetzt aufhören. Ich bin ganz durcheinander. Und ehrlich gesagt, tun mir meine Hände weh vom Bohren und Schrauben.

Später

Liege auf meinem Bett und gucke auf meine neue Arbeitsplatte. Echt schade, dass du nicht zu erreichen bist. Wo steckst du nur? Hip-Hop ist doch längst zu Ende?!!
Na ja, dann fange ich jetzt mal mit meiner Drosophilazucht an (*Drosophila melanogaster* = Fruchtfliegen). Hab ich dir doch erzählt, dass ich ein Reagenzglas mit 10 weiblichen Fruchtfliegen und eins mit 10 männlichen hatte, oder? Gleich präpariere ich ein Reagenzglas mit Nährboden und befördere 5 Weibchen und die letzten 3 Männchen in das Glas. Es gibt leider nur noch 3 Männchen. Die anderen sind plötzlich gestorben. Ich weiß wirklich nicht, warum.
Erstickt können sie nicht sein, denn durch den Gazestopfen kommt genügend Sauerstoff. Verhungert auch nicht, denn sie haben zusätzlich zum Nährboden noch ein Stückchen Banane bekommen (obwohl die Männchen nicht aktiver als die Weibchen sind! Sie krabbeln eigentlich nur ein bisschen herum, schlafen und fliegen mal durchs Glas). Aber das finde ich schon noch raus. Meine Mutter will nicht, dass ich irgendwelche Populationen in meinem Zimmer züchte. Das soll

Drosophila melanogaster

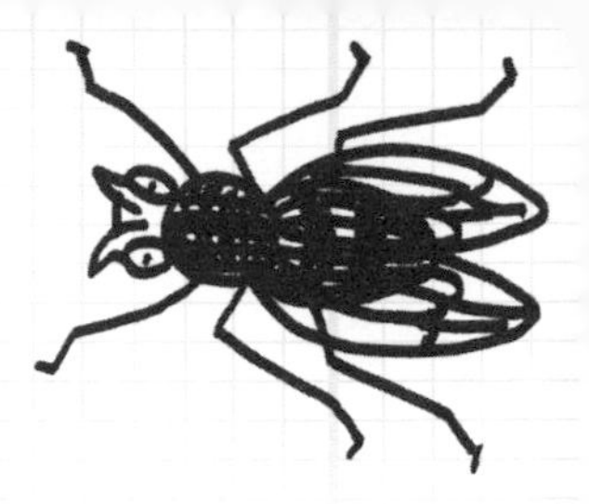

ich unter ihrer Aufsicht in der Küche machen.
Na gut. Dann geh ich jetzt mal in die Küche.
Vielleicht schreibe ich heute Abend noch was.

Abends im Bett

Jetzt bin ich zu müde, um was zu schreiben. Nur zur Information: Mein Bruder hat mir angedroht, die Tischbeine heimlich abzuschrauben, wenn ich sie nicht freiwillig hergebe. Ich könnte sie ihm auch bezahlen. (10 € pro Stück!!!) Was sagst du nun zu so einem hirnverbrannten Vollpfosten??!!

Geografie

Ich könnte ja mal vernünftig mit Jakob reden, wegen der Fischbeine – äh – Tischbeine. Wie komme ICH denn jetzt auf Fischbeine???!!! Es ist wahrscheinlich noch zu früh. Obwohl, du hast auch Fischbeine geschrieben – dabei haben Fische doch gar keine Beine.

Bin gestern erst um halb zwei ins Bett gegangen. Musste die ganze Zeit nach Hip-Hop auf meine kleine Schwester aufpassen. Total mühsam, sage ich dir! Luise war unausstehlich. Ich weiß auch nicht, was für eine Trotzphase die gerade durchmacht. Echt, ich war früher nicht so!!! Ich hatte erst Ruhe, nachdem alle im Bett lagen … Habe dann noch ein bisschen Modelle gezeichnet. Zeige ich dir nachher mal. Heute Morgen dachte ich, ich kann unmöglich aufstehen … Ich hab jetzt auch keine Kraft zu schreiben. Steckst du das Heft ein oder soll ich? – Aber was ich unbedingt noch sagen wollte: Geil, was du dir da gebaut hast!!!!! Darf ich's mir angucken? Ich könnte heute Nachmittag. Und wie gesagt, ich würde mit Jakob vernünftig reden, wegen der Fisch… – äh – TISCHbeine.

PS: Vielleicht sterben die Männchen einfach früher. Ist ja – rein statistisch gesehen – bei den Menschen auch so. Warum sollte es bei den Fruchtfliegen anders sein?

Mit meinem Bruder kann man nicht vernünftig reden! Und wenn er mir die Tischbeine klaut, säge ich ihm das Bett an. Mindestens!

Sei doch nicht immer so stur, Alex. Lass es mich versuchen. Er ist mir gegenüber total offen. Weißt du noch, letzten Sommer, im *Yaam*, als ich mit ihm an der Spree gesessen habe und er mir erzählt hat, dass er Schlagzeug spielt und demnächst in einer Band spielen will? Das hatte er noch keinem erzählt, nur mir.

Ja, er quatscht viel, wenn der Tag lang ist.

Mathe

Guck dir mal Natascha an. Ist doch echt affig, wie sie sich wieder meldet. Als wenn sie elektrische Zuckungen im Arm hätte.

Ja. Nicht nur im Arm!

Im Gegensatz zu mir. Bei mir fließt gerade nur Null-Strom. Wenigstens übersieht mich die Wachholz und nimmt mich nicht dran.

Ich will aber bei meiner mündlichen 1 bleiben.

Streber! Streber! Nein, ist nur Spaß, weißt du doch, Alex. Ich bin echt stolz auf deine Mathe-Eins.

Danke. Hast du den knackigen Apfel gesehen, den sich Frau Wachholz heute aufs Pult gelegt hat? Könnte sie uns eigentlich geben, sie isst ja nie das, was sie aufs Pult legt.

Ist mir auch schon aufgefallen. Wahrscheinlich eine neue *Brigitte*-Diät – wo man allein vom Angucken satt wird. Scheint aber bei ihr noch nicht gewirkt zu haben.

Lass ihr doch ein bisschen Zeit, Em. Vielleicht fängt sie heute erst damit an. – Ich melde mich jetzt. Die Gleichung ist total easy! Lass uns in Deutsch weiterschreiben. Bei Doktor Schnarch müssen wir ja eh nichts sagen.

Deutsch

Sag mal, hast du gesehen, dass der Sessel Natascha ein Partytäschchen geschenkt hat?

Nein, wann denn?

Eben, in der Pause.

Was denn für eins?

So ein elegantes, flaches, zum Aufklappen, in Beige, dunkel gemustert. Sieht aus wie eine Klapperschlange.

Echtes Klapperschlangenleder? Glaub ich nicht.

Warum nicht? Der Sessel trägt ja auch Pelz. Kotz-würg, sage ich da nur!!!

Das sind Imitate, Alex!!!! Nix Echtes!!!

Nein. An ihrer Winterjacke hatte sie *100 Prozent Rabbit*! Das stand auf dem Etikett in der Kapuze!

Kaninchenfell finde ich ehrlich gesagt nicht so schlimm.

Pelz ist Pelz. Dafür musste ein unschuldiges Tier sterben.

Vorher ist das unschuldige Tier doch eh gegessen worden.

Schlimm genug!

Dann dürftest du auch keine Käfer aufspießen.

Das ist doch was völlig anderes als Pelz tragen! Was nimmst du den Sessel eigentlich in Schutz?!?!

Tu ich ja gar nicht!

Doch.

Ey, du Sturkopf. Weißt du, wer dich andauernd anguckt? Tobias!

Unser Tobias?????

Ja, genau der. Eigentlich ist der in der letzten Zeit ganz niedlich, findest du nicht? Martin auch.

Na ja, sagen wir mal so: Ich finde, dass die beiden in der letzten Zeit ganz cool sind. Kriegen mitten im Unterricht Lachkrämpfe. Das lockert ungemein auf.

Eigentlich finde ich auch Martins französischen Akzent umwerfend. 🙂

Im wahrsten Sinne des Wortes! Gut, dass echte Franzosen den nicht hören, sonst würden sie alle flachliegen. 😉

Mittwochabend

Alex, ich brauche auch eine Arbeitsplatte. Mein kleiner Schreibtisch reicht nicht zum Zeichnen, Entwerfen und Nähen. Dann könnte ich auch die Nähmaschine stehen lassen und müsste sie nicht ständig ein- und auspacken. Vielleicht kannst du mich beraten. Sieht ja echt cool bei dir im Zimmer aus! Und die Fliegenpopulation ist auch geil! Nur Mist, dass Jakob nicht da war.
HDW hat sich immer noch nicht wieder gemeldet. Verstehe ich nicht! Jetzt liege ich hier auf dem Bett und warte. Bin völlig platt. Außerdem dröhnt mein Knie. Habe ich mir doch heute in Sport an dem dämlichen Kasten gestoßen. Und dass Carmen schon wieder eine 1 gekriegt hat, ist echt blöd.
Ich finde, ich hätte in Sport auch eine 1 kriegen müssen.

Du auch. Wir sind immerhin auch über den Kasten gekommen. Aber nur weil Carmen „den fliegenden Frosch“ macht, bekommt sie gleich eine 1+.
Also, wenn du mich fragst, ist Carmen lebensmüde. Sie rennt ohne Rücksicht drauflos, springt vom Sprungbrett und hebt einfach ab. Wenn Frau Radebrecher und Lina sie nicht an den Oberarmen gehalten hätten, wäre sie wahrscheinlich durch die ganze Turnhalle geflogen, ist doch albern!
Wieso meldet sich HDW nicht? Ich hatte ihm gestern zurückgesimst: „Ich kenn dich doch gar nicht.“ Hab gehofft, dass er daraufhin schreibt: Man kann sich ja kennenlernen, so was in der Art. Aber er meldet sich nicht. Ich hab Schiss, dass das vielleicht eine zu unpersönliche Antwort auf seine SMS gewesen sein könnte. Was meinst du?

Später

Liebe Alex, ich war gerade eingenickt, da springt Luise auf mein Bett und schreit direkt in mein Ohr! Echt charmant, das Kind. Jetzt sitze ich mit ihr am Tisch (meine Mutter ist immer noch irgendwo unterwegs, wahrscheinlich amüsiert sie sich köstlich, so ganz ohne Kinder!). Luise malt Frauen unter Wasser (frag mich nicht, warum unter Wasser. Ich frag sie auch nicht, denn so lässt sie mich wenigstens in Ruhe!). Ich wollte eigentlich nachher noch zum Hip-Hop, aber dafür bin ich leider zu tot. Wahrscheinlich kriege ich meine Tage. (Wären drei

Tage zu früh.) So fühlt es sich nämlich an in mir. Und zwar nicht nur im Bauch, sondern überall im Körper. Wahrscheinlich kriege ich ganz besondere Tage (Ganzkörpertage). Wo ich dieses Gefühl allein im Bauch schon so ätzend finde. Alles in mir scheint gerade verrutscht. Es tut nicht richtig weh, aber es zieht überall.

Später

Ich wünschte, dieser Tag wäre schon vorbei. Luise nervt! Meine Mutter ist immer noch nicht da und allein der Gedanke an Jungs nervt mich auch. Stell dir doch mal vor, du bist später verheiratet und dann fühlst du dich so, wie ich mich jetzt fühle. Das kann man doch keinem zumuten! – Nur zur Information: Ich sehe auch so aus, wie ich mich fühle: klein, plump, müffelig, hässlich, mit ausgefranstem Sauerkraut auf dem Kopf. Und neue Pickel habe ich auch! So ein Mann kriegt doch den Schock seines Lebens, wenn er von der Arbeit nach Hause kommt und so einen Klumpen sieht! Und dann muss man sich auch noch voreinander ausziehen und in einem Bett schlafen … Uuuuuaaaahhhhh!!!!!!!!!!!!!!!!!!!!!
Vielleicht ist es besser, gar nicht zu heiraten. Single zu bleiben, ein Leben lang! Am besten, ich simse auch HDW nicht mehr. (Hat sich immer noch nicht gemeldet!!!)

Geschichte

Guten Morgen, Alex, ich dachte schon, du kommst heute nicht. Lies bitte NICHT, was ich gestern zu Hause geschrieben habe. Und guck mich nicht an.

Doch. Doch. Meine Mutter hat verpennt. Häh, was ist denn los? Warum soll ich das nicht lesen?

Weil es Schwachsinn ist. Wollte die Seite schon rausreißen, aber dann fallen so viele andere Seiten auch raus. Und das wollen wir ja nicht. Ich könnte es überkleben oder mit Edding überkritzeln … Help!!!!

Warum denn überkritzeln, Em? Wir haben doch keine Geheimnisse. Okay, ich lese es jetzt nicht. Vielleicht später? Einverstanden?

Wundervoll, Alex. Ja!

Und warum soll ich dich nicht angucken?

Weil ich zwei fiese fette Pickel auf der Stirn habe.

Die sieht man echt nicht!

Alex, bitte. Ich möchte jetzt nicht über meine Pickel reden!

Was ich dir noch sagen wollte, ich habe vorhin José am Fahrradstand getroffen.

José aus der 8a? Der mit den schönen, schwarzen Augen?

Schöne Augen? Weiß nicht. José Ferrero eben.

Ferrero Küsschen.

Du bist blöd!

Ach komm. Erzähl schon. Was war?

NICHTS WAR, NEUGIERIGE EMILY!! Wir haben Hallo gesagt und er hat sein Fahrrad abgeschlossen.

Wie romantisch!

Er musste erst zur Zweiten, wollte sich aber noch für ein Referat vorbereiten, über Schnecken. Wusstest du, dass Weinbergschnecken 20 Jahre alt werden können?

Nee. Sag bloß, ihr habt euch über Weinbergschnecken unterhalten.

Ja.

Und sonst?

Nichts. Er würde gern mal meine Fledermaus sehen. Du weißt doch, die vertrocknete, die mein Vater letzten Sommer in Frankreich unterm Bett gefunden hat.

?

Was war denn hier bis jetzt los?

Du hörst es ja. „Der Trabi" erzählt gerade vom *Dritten Stand* und *Robespierre.*

Wer war noch schnell *Robespierre*? Und was der *Dritte Stand*?

Eine Art Anwalt der Armen – vom *Dritten Stand* eben – Bauern und arme Bürger, glaub ich. Robespierre hat sich gegen die Adeligen und gegen die Kirchegestellt. Er wollte Gleichheit für alle.

Scharf!

Ja, die Gulliotine war auch scharf (er hat doch später sogar den König enthaupten lassen).

Gulliotine hat aber nichts mit dem Gulli zu tun.
Deshalb wird es auch anders geschrieben.
(Wie, wissen wir selber nicht.) Steffi & Nicole

Die schon wieder. Sie können es einfach nicht lassen!!!

Manno! Wenn die jetzt das von mir zu Hause gelesen hatten … ich hätte sie geköpft.

Das würden sie sich nie trauen. Wir grinsen sie einfach an und dann ist gut.

Ja, lassen wir ihnen ihren Gulli-Witz. Ha, ha!

Genau. Ha, ha! – Sag mal, darf ich jetzt lesen, was du gestern geschrieben hast?

NEIN!!!

Bitte!!!

Na gut! Auf eigene Gefahr!

Hab's gelesen. Ist doch gar nicht schlimm. Jedem geht's doch mal beschissen. Und ehrlich, Em, du siehst NIE aus wie ein Klumpen, weil du immer GUT aussiehst, selbst mit Sauerkraut auf dem Kopf (und zwei Pickeln;-)).

Danke. Grrrrrrrrrrr.

Außerdem sind es die Männer, vor deren Anblick man sich fürchten muss, wenn man von der Arbeit nach Hause kommt, denn Männer werden im Alter alle hässlich. Oben kriegen sie 'ne Glatze, vorne einen Bauch und hinten wachsen ihnen Haare auf dem Rücken. *Back to stoneage*, kann ich da nur sagen.

Apropos Behaarung: Das muss ich dir ganz schnell noch mitteilen. Manche Männer sind nämlich noch gar keine richtigen Männer, sondern – entwicklungstechnisch gesehen – immer noch überwiegend Affen. Mit anderen Worten, nicht jeder Mann ist schon voll entwickelt. Das erkennt man an den Ohren (Vorsicht, wenn jemand mit den Ohren wackeln kann!!) und an behaarten Fingern (später, im Alter, kommt dann die Rückenbehaarung dazu)! Das sind nämlich noch Überreste aus der Zeit, als der Mensch (*Homo sapiens*) noch *Homo erectus* war, eben ganz behaart, und das Ohrenwackeln noch eine überlebenswichtige Fähigkeit darstellte (konnte die Ohren stellen wie Pferde, um Gefahr möglichst schnell zu orten). Ist das nicht irre?

Hm. Das ist ja ganz schön schlimm …

Eben. Deshalb hüte dich vor behaarten und ohrenwackelnden Männern! Die sind nämlich völlig unterentwickelt.

Soll ich dir mal ganz ehrlich was sagen, Alex?

Jaaaa!!!

Ich kann auch mit den Ohren wackeln …

Ach du Scheiße!!! Ich sag's keinem weiter! :-)

Französisch

Wollen wir uns jetzt mal wieder was Richtiges schreiben und das Heft nicht immer nur nach einem Satz hin- und herschieben? Nicole hat schon wieder die Augen verdreht und Steffi gemeckert. Das Weitergeben würde sie zu sehr vom Unterricht ablenken. (Dabei liest sie BRAVO unterm Tisch!) Ich mach Kästchen und du kreuzt an, ja?

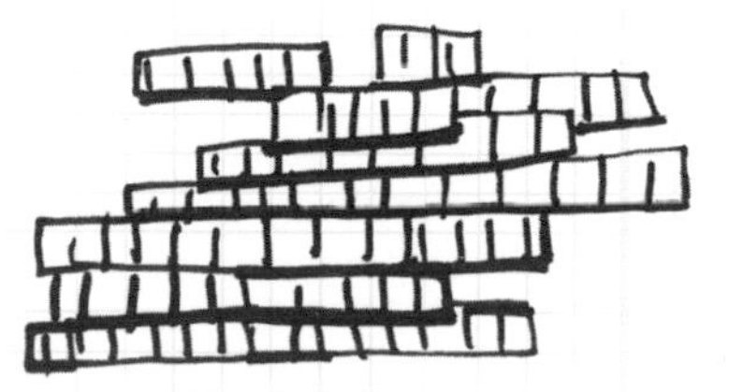

- ☐ Sport (ich finde Carmens Froschflug auch ätzend!!)
- ☐ Der neue Biolehrer
- ☐ Das Balzverhalten der Laubenvögel
- ☐ Zahnspangen
- ☐ Meine *Drosophila*-Population
- ☐ Heute Nachmittag (Wir treffen uns doch?!)

(Jungs schreib ich nicht auf, aber „Das Balzverhalten der Laubenvögel" hat indirekt damit zu tun und ist sehr interessant! Willst du davon hören? Lohnt sich!

Ich lass das Heft außen rumgehen, über die Jungsreihe. Steffi und Nicole können ruhig staunen, wenn wir den Jungs und nicht ihnen das Heft anvertrauen. Die sollen endlich mal schnallen, was für eine Ehre es ist, unser geheimes Klassenbuch weitergeben zu dürfen!!!

Ja, klar treffen wir uns heute Nachmittag, wann denn? Schade, dass du kein „Jungs-Kästchen" gemacht hast.

So um drei?

Ja. Und wo? Das war ja jetzt gerade echt der Hammer! Das haben Steffi und Nicole nun davon! Warum gucken sie auch so blöd hinter dem Heft her! Kein Wunder, dass Madame Heesel denkt, sie flirten mit den Jungs, hihi, und sie dann ermahnt.

Ja. Selber schuld. Hast du Lust, zu mir zu kommen?

Klar!!! Ich brauche doch dringend deinen Rat. Sag bitte noch kurz, wie ich jetzt reagieren soll? Zur Erinnerung: HDW hat mir immerhin

- am Montag geschrieben: „Ich liebe dich über alles!"
- Dienstag hab ich zurückgesimst: „Ich kenn dich doch gar nicht."
- Und seitdem habe ich nichts mehr von ihm gehört. (Heute ist schon Donnerstag!)

Mensch, Em. Das sagt doch alles! Solche Liebes-SMS haben dir dieser Fabian und Marcel aus der 8b auch schon geschickt. Wahrscheinlich schreiben sie alle voneinander ab.

Spinnst du!? Und grab jetzt bloß nicht diesen Vollpfosten Marcel Steinert wieder aus (mit diesen superhässlichen gelben Croc-Schuhen!). Der hat damals tatsächlich von Fabian abgeschrieben, hat ihm auch sonst alles nachgeplappert. Von dem hat er auch meine Handy-Nummer gekriegt. Und hatte ich dich nicht gebeten, all diese Kinder nie mehr zu erwähnen!? HDW wird SICHER NICHTS mit den Babys aus der 8. zu tun haben!

Wieso Babys? Weihnachten fandest du die
noch cool.

Ja, klar, Weihnachten 1910! Nee echt, Alex, wie oft soll ich es dir noch sagen: Da habe ich mich eben geirrt. Stell dir vor, Irren ist menschlich!!!!!

Übrigens, nicht alle Jungs aus der 8. sind Babys!

Ach ja, wer denn nicht? Lass mich raten – José?????

Zum Beispiel.

Hört! Hört!

Was soll das jetzt heißen, Em? Ich falle nicht gleich *in love*, so wie du.

Solltest du aber mal. Das ist nämlich ungeheuerlich … prickelnd …

Okay. Themawechsel. Soll ich dir jetzt von dem Balzverhalten der Laubenvögel erzählen? Das ist auch „prickelnd".

Och nö. Hey, guck mal, Tobias, Martin und Johan tuscheln über uns. Ich streck denen mal die Zunge raus.

Hihi. Das war gut.

Guck mal, was haben die denn da?

Zitronenbonbons. Ich will auch einen!

Süß, dass die uns tatsächlich zwei rübergeschliddert haben.

Nee, sauer. Bei mir zieht sich alles zusammen.

Kleines Jungsranking? Ehrlich gesagt ist mir jetzt nicht so nach Balzverhalten von irgendwelchen Laubenvögeln. (Ich glaube aber trotzdem an dich, Alexandra Verhoeven, und dass du eines Tages den Nobelpreis in Biologie bekommst!)

Danke, danke. Na gut. Ich fang an. (Madame Heesel kann sich ja gerade ganz gut ohne uns beschäftigen).

Tobias:	3	Bisschen blöd, aber zurzeit ganz witzig.
	2	Ja. Auch nicht rüpelig.
Martin:	2+	Lässt mich manchmal von seinem knackigen Käsebrötchen abbeißen.
	2+	Ganz schön gewachsen in der letzten Zeit, auch witzig irgendwie.
Stefan:	3–	ohne Kommentar
	3–	übersehbar

Johan:	2	Hat was im Kopf.
	2	Hat mir letztens die Schultasche vom Physikraum in den Kunstraum hochgetragen.
Dennis:	5	Hat neulich mit einem Tampon auf dem Schulhof rumgekickt.
	5	Besteht aus 50 % Pickeln.
Christian:	4	Überdimensionaler Fleischfresser!
	4	Rüpelig, riecht nach alten Socken.
Rico:	5	Kaum 1,30 groß, aber macht alle Mädchen an.
	3–	So schlimm ist er gar nicht.
Max:	3	Hat mir schon zweimal die Tür aufgehalten.
	4–	Mir nicht!
Yusuf:	2	Hat mich in Französisch abschreiben lassen.
	2	Seine dunkle Haut schimmert schön.
Noah:	4	Hat zu viel Gel im Haar, sieht richtig verklebt aus.
	3	Aber immer geile Jeans an.

Cool. Und damit wäre Martin „Junge der Woche“ und Dennis „Depp der Woche“ (übrigens schon das dritte Mal hintereinander!!!). Wir sollten ihm einen Depp-Orden verleihen!

Englisch

Das in Franz war ja eben echt ein Schreck! Erst stellen sich Steffi und Nicole wieder blöd an und wollen das Heft nicht mehr durchgeben und dann wirft Rico es noch so auffällig auf Martins Tisch, dass Madame Heesel stutzig wird. Ich hätte ihn fast gekillt! Rico ist echt zu blöd!

Ach, der braucht halt eine Menge Aufmerksamkeit. Ja, wir haben echt Glück, dass das Heft nicht einkassiert wurde! Wir sollten uns in der nächsten Franz-Stunde lieber nicht schreiben. Nur gut, dass Martin es dann schnell eingesteckt hat. Er hätte es ja auch lesen können. Hat er aber nicht. Hat es uns gleich nach der Stunde wiedergegeben. Süß, oder?

Ja. Hochanständig. Willst du jetzt was ankreuzen?

Ich weiß nicht, was.

Dann schlag doch neue Themen vor. Oder ich erzähl dir was übers Balzverhalten der Laubenvögel. 😉

Alex, bitte!

Ich verstehe echt nicht, warum du dich so sträubst. Das ist total lustig! Mist, ich sehe gerade, ich habe mein Buch vergessen. Jetzt muss ich bei Carmen mit reingucken.

Pass bloß auf, dass Carmen nichts aus unserem Heft liest. Wenn sie mit den Augen auch so gelenkig ist wie mit den Beinen beim Kastenspringen, dann kann sie bestimmt mühelos rüberschielen, ohne den Kopf zu drehen. Also, kreuz mal was an:

- ☐ Wochenende
- ☐ Hip-Hop
- ☐ Der neue Biolehrer
- ☐ Zahnspangen
- ☐ deine *Drosophila*-Population
- ☐ Jeansweste mit Buttons

Wie du siehst, bin ich nicht so egoistisch wie du und kreuze: „Jeansweste mit Buttons" an. (Wäre ich egoistisch, hätte ich *Drosophila*-Population angekreuzt, muss nämlich neuen Futterbrei kochen.)

Was hat das denn mit Egoismus zu tun, wenn ich gerade keinen Bock auf Laubenvögel oder Futterbrei für Fruchtfliegen habe???

Ist ja jetzt auch egal. Schreib endlich von der Jeansweste!

Eigentlich gibt es darüber gar nicht viel zu schreiben. Hab von meiner Oma eine Jeansweste gekriegt, original aus der 70ern. So ein richtig geiles Hippieteil!

Cool! Zieh doch morgen mal an.

ALARM! ALEX, ich hab gerade zufällig auf mein Handy geschmult und gesehen, dass HDW mir gesimst hat! Du ahnst nicht, was!!!

Was denn?

Sag ich dir nur, wenn du mir gleich einen Tipp gibst, was ich zurückschreiben soll.

Ja. Klar. Mach ich.

Aber nur einen wirklich gut gemeinten Rat!

Em, ich gebe dir immer NUR gut gemeinte Ratschläge.

Nein, das stimmt nicht. Manchmal meckerst du gleich los, nur weil du jemanden nicht leiden kannst, aber ich schon. Das finde ich, ehrlich gesagt, nicht sehr feinfühlig. Du musst dich in MEINE Lage versetzen!

Ja. Emchen, mach ich doch. Tut mir leid. Was bist du denn so kritisch? Pass lieber auf, dass dein Handy nicht einkassiert wird!

Er hat endlich gesimst: „Man kann sich doch kennenlernen!“ Ist das nicht geil?!?!?!?!?!

Na endlich! Ehrlich gesagt, ist das nicht sehr originell. Das ist doch genau die Antwort, die du erwartet hast. Aber wenn du meinst – dann geh das Risiko ein.

WELCHES RISIKO???

Na, ihn kennenzulernen.

Alex, bitte, er ist kein Werwolf oder Serienmörder oder so was. Wo, bitte, ist das Risiko? UND DU MECKERST JA SCHON WIEDER!!

Sorry, ich MECKER NICHT, ich bin nur skeptisch. Du sagst doch selbst, er raucht. Und das findest du blöd. Außerdem flirtet er mit anderen Mädchen. Das weiß die ganze Schule.

Flirten ist ja nix Schlimmes und eine erwartete Antwort zu kriegen, auch nicht!!!

Ich will jetzt in Englisch aufpassen. Das ist schließlich die Sprache, in der ich später meine Nobelpreisrede verfasse. 😊

Latein

Alex, halt dich fest! Hab ihn ja leider in der Pause nicht gesehen. (Er ist also nicht immer in der Raucherecke!!) Hab ihm eben, als du noch schnell auf dem Klo warst, eine SMS geschrieben: „Dagegen hab ich nichts.“ (Gegen das Kennenlernen. Du verstehst?) Er hat diesmal SOFORT zurückgesimst: „Ich auch nicht.“ Dann habe ich ihm einen ☺ geschickt und er hat mich gefragt, ob ich heute Abend Zeit hätte. So gegen 19 Uhr. Ich habe ihm dann gesagt, dass das leider nicht geht, weil ich zum Hip-Hop muss. Ehrlich gesagt, bin ich ganz froh, dass ich zum Hip-Hop muss. Ich hab doch noch diese zwei fetten, fiesen Pickel.

Em, ich hab dir zigmal gesagt, dass man die echt nicht sieht! Dein Make-up übertüncht die perfekt.

Alex, wie oft muss ich es dir noch erklären: Ich benutze kein Make-up! Nur *Concealer.* Wieso kapierst du das nicht, du Niveakind;-)!

Was ist noch mal ein *Concealer*?

Ein ABDECKSTIFT.

Danke für den Hinweis. Werd ich mir jetzt merken.
Ist doch egal, was man auf die Pickel schmiert, Hauptsache, man sieht sie nicht!

Ich seh sie aber!

ABER NUR DU!

HDW bestimmt auch.

HILFE, SANITÄTER! Außerdem bin ich kein *Nivea*kind! Ich hasse *Nivea*. Mein Bruder Jakob stylt sich die Haare mit *Nivea*. Er sagt, dann trocknen sie nicht aus.

Ach, hat Jakob trockene Haare? Wie süß.

Ich weiß echt nicht, was an seinen Struwwelhaaren süß sein soll. Die miefen total nach *Nivea*. Ich habe auch keine Lust, weiter über die Haarprobleme meines Bruders zu schreiben.

Jedenfalls muss ich wirklich zum Hip-Hop. Ganz wichtig, weil es um eine Choreografie in der Gruppe geht. Und unabhängig von den Pickeln und dem Hip-Hop ist mir das ein bisschen zu schnell, mich jetzt so PLÖTZLICH mit HDW heute zu treffen. Nach alledem. Verstehst du das?
PS: Beim Hip-Hop klebe ich die Pickel ab.

Ja. Das verstehe ich gut. Und, war er dann beleidigt?
PS: Womit klebst du denn die Pickel ab?

Nein. Überhaupt nicht. Er hat total süß gelächelt.
PS: Mit einem zurechtgeschnittenen Pflaster.

Ich bin froh, dass du nicht gleich zugesagt hast, so plötzlich. Wer weiß, was passiert wäre!
PS: Wirklich mit Pflaster?

Ich weiß ja nicht, was du gleich wieder für unzivilisierte Gedanken hast, aber ich finde es sowieso gut, Jungs ein bisschen hinzuhalten. Hab neulich so psychologische Tipps gelesen, wie man mit Männern umgehen soll. Und da stand, das Wichtigste sei, dass man ihnen nicht gleich fest zusagen soll, sonst würde der Eroberungstrieb zu schnell befriedigt und dann wird es langweilig für den Mann.
PS: Ja. Erst Pflaster, dann Concealer drüber. Das hält sogar beim Hip-Hop.

Du willst doch wohl nicht von HDW „erobert" werden?!

Wieso nicht? Vielleicht entpuppt er sich ja als Prinz. ☺
Er wollte dann noch wissen, wo ich Hip-Hop mache, und hat mir viel Spaß gewünscht und gesimst: „Dann bis ganz bald, Süße." Ja, und jetzt weiß ich nicht, was ich machen soll. Ihm in der nächsten Pause simsen, dass wir uns von mir aus am Wochenende treffen können.

Ach Quatsch! Lass ihn sich melden.

Oder ich sage es ihm persönlich.

Willst du etwa wieder in die Raucherecke? Ohne mich! HUST! WÜRG! KOTZ! Wusstest du, dass Passivrauchen

a) die Doofheit fördert (aufgrund Gehirnschwunds)
b) runzlige Haut verursacht
c) Pickelwachstum um 97 % fördert sowie gelbe, ranzige Zähne verursacht (ganz zu schweigen von schlackenhaftem Zungenbelag etc. etc.).

Ehrlich, ich kann zu einem Raucher nur sagen: GO WITH THE WIND – oder ganz konkret: HDW nach JWD. 😛😛😛

Ha, ha! – Alex, du bist echt manchmal so was von uncool!!!!!!
PS: Was heißt noch mal JWD?

Janz weit draußen. Also fast bis vor die Pampa = Grassteppe in Argentinien;-))).

Mann, Alex. Komm mal wieder auf die Füße. Rauchen ist kein Verbrechen. Rauchen ist nur ein Laster. Jeder Mensch hat ein Laster. Das macht den Menschen nicht rundum schlecht.

Nein, aber krank. Das reicht ja auch schon. Oder möchtest du mit 20 eitertriefend durch die Gegend husten?

Wollen wir mal wieder das Thema wechseln?

Ja. Sag mir aber noch eins: Welches Laster hast du denn?

Zeitprobleme. Weißt du doch. Mir fällt es nun mal schwer, pünktlich zu sein. Aber ich arbeite dran und ich bin auch schon besser geworden. Und dein Laster, wenn du es wissen willst, liebe Alex, ist dein abgrundtiefes Misstrauen Jungs gegenüber.

Kein Wunder, schließlich habe ich einen Bruder und weiß, wozu Jungs fähig sind! Z. B. ihre Unterhosen vollzupupen!! Na ja. Ich muss zugeben, es sind vielleicht nicht alle so. José zum Beispiel ist da ganz anders.

Wie jetzt, der hat keine vollgepupte Unterhose???;-)

Em! Du bist echt *disgusting*.

Wieso ich? Du hast mit dieser *Analphase* angefangen! Meine Frage war nur eine logische Schlussfolgerung deiner Aussage. (Puh, was für ein logischer Satz. Sollte ich öfter anwenden.) Frau Wachholz wäre bestimmt stolz auf mich. Stolz! Schwell!!!

Ich bin auch stolz auf dich. ☺

Gut. Aber erzähl mal weiter von José, der was im Kopf hat und nicht in der Hose ... huuuuaaaaahhhh – da will man mal was Nettes schreiben und dann wird der Satz – ganz von allein – zweideutig. Also vergiss es. Und schreib endlich, was los war!

Nix. Ehrlich. Wir haben uns nur am Fahrradstand getroffen.

Zufällig?

Natürlich zufällig!

Was heißt „natürlich“?

Na ja, Menschen treffen sich halt. Auch am Fahrradstand. Das passiert im Leben öfter, als du denkst. ☺

Und warum erzählst du nichts davon?

Da gibt es nichts weiter zu erzählen. Ich muss jetzt echt aufpassen. Sollen wir etwa die ganzen Vokabeln auswendig lernen?

Sieht so aus. Wollen wir das heute Nachmittag zusammen machen? Soll ich nun zu dir kommen? Ist Jakob auch da?

Ich dachte, du kommst zu mir, wegen **mir** und den Vokabeln und nicht wegen meinem gehirnamputierten Bruder.

Das heißt: Wegen **meines gehirnamputierten Bruders**, liebe Alex, Genitiv! Außerdem finde ich deinen Bruder nicht gehirnamputiert. Und natürlich komme ich wegen – wessen? – **unserer** Hausaufgaben! – Ich dachte nur, es wäre doch praktisch, wenn Jakob auch da wäre, dann könnte ich gleich vernünftig mit ihm reden, wegen deiner Tischbeine.

Die Tischbeine sind kein Thema mehr! Er kriegt jetzt irgendwas zur Entschädigung von meinen Eltern.
PS: Seit wann bist du denn so pingelig wegen dem Genitiv, wo wir doch bislang hervorragend mit dem Dativ klargekommen sind?

Wegen **des Genitivs**, liebe Alex! Und ich habe nichts gegen **den Dativ**, meine Sinne für den Genitiv sind nun mal durch Latein geschärft worden.
Das kann ich nicht einfach wieder abstellen. Ich finde den Genitiv geil.

Ach ja? Na gut. Jedem das seine. Sag mal, wollen wir

uns heute Nachmittag erst im Volkspark treffen und eine Runde Tischtennis spielen, bevor wir bei mir an die Hausarbeiten gehen? Ist so schönes Wetter. Was meinst du? Gehst du dann direkt von mir zum Hip-Hop?

Ja. Wenn ich meine Pickel bei dir präparieren kann??? Wo wollen wir uns denn treffen?

15:00 Uhr bei den drei Kastanien, linker Hügel. Aber komm bitte pünktlich, Em!
PS: Klar kannst du dich bei mir präparieren.

Okay.
PS: Du hast mir immer noch nicht gesagt, ob dein Bruder im Moment Single ist! Echt, Alex, dein Laster ist, dass du nie alle meine Fragen beantwortest! Nimm doch mal meine Fragezeichen hinter den Sätzen ernst!

Ich finde dich süß!
Zorro

Physik

Guck dir das, bitte schön, mal an!!!

Hilfe, Alex, wer ist denn Zorro????

Muss auf jeden Fall einer von unseren Jungs sein. Der Physikraum war ja in der Pause abgeschlossen.

Hast du das Heft denn offen liegen lassen?

Natürlich nicht!!! Ich hatte es unter dem Physikbuch. Und auf dem Physikbuch lag noch der Physikordner und darauf meine Federtasche, offen. Extra so positioniert, dass sofort Stifte rausfallen, wenn einer an den Stapel geht. Die üblichen Sicherheitsvorkehrungen eben.

Aber es war trotzdem jemand an unserem Heft!!!

Offensichtlich!

Da tun sich gleich zwei Fragen auf:

1. Wer ist Zorro?
2. Wen von uns findet er süß?

Zu Frage 1: Keine Ahnung. Vielleicht Johan? Der hat doch so ein markantes Zorro-Kinn. Aber

dem trau ich das eigentlich nicht zu. Dann schon eher Martin. Der hatte bei der letzten Klassenfahrt einen Spiderman-Schlafanzug, hihi.
Zu Frage 2: Dich natürlich!

Wieso NATÜRLICH mich?

Wieso denn mich?

Wieso nicht dich?

So kommen wir nicht weiter, Em. Wir müssen eine Schriftprobe nehmen.

Wie willst du denn eine „Schriftprobe" nehmen, liebe Alex?

Ganz einfach. Wir bitten alle unsere Jungs, einen Satz zu schreiben, z. B.: *Am Sonntag kommt mich meine Tante aus Bad Tölz besuchen.* Und dann vergleichen wir die Schrift mit dem Satz im Heft. *Voilà!*

Häh??? Du glaubst doch wohl nicht im Ernst, dass unsere Jungs „Am Sonntag kommt mich meine Tante aus Bad Tölz besuchen" schreiben. Und wieso so ein blöder Satz?

Ich finde ihn gut. Vor allem unauffällig. Denk du dir doch einen besseren Satz aus!

Lass uns lieber mal gucken,
wer auffällig guckt.

Martin und Tobias gucken dich andauernd an.

Dich auch. Und jetzt auch noch Johan.

So kommen wir nicht weiter!

Donnerstagnachmittag, Volkspark Schöneberg

Puh, was für ein chaotischer Schultag! Erst die ganze Zorrosache und dann der Stress in Physik. Der Rottenheimer hat ja gleich geschnallt, dass du nicht bei der Sache warst. Mir wurde heiß und kalt, als er auf unser Heft starrte und dich fragte, was du da eigentlich die ganze Zeit schreibst. „Ich mach mir Notizen zu den Formeln", war echt die beste Antwort von dir, Em. Wirklich sensationell! Zum Glück ist er nicht auf die Idee gekommen, sich die Notizen näher anzugucken.

Das kommt, weil unser Heft ein ordentliches Schulheft ist. Das hat schon so manchen Lehrkörper abgehalten, Verdacht zu schöpfen. Ich sag's ja, es ist viel unauffälliger, als auf Zetteln zu schreiben.
Jetzt habe ich dich gerade angerufen. ES IST SCHON ZEHN NACH DREI! Echt, ich hetze mich ab und du kommst wieder mal nicht pünktlich. Ich war nämlich noch bei der Bio-AG und habe Nährboden für meine Drosophila-Zucht gekocht. Meine Mutter erlaubt mir nämlich nicht mehr, für meine *Drosophila melanogaster* in ihrer Küche zu kochen. Dabei habe ich so ein tolles Rezept. Also, man nehme:

10 g Agar-Agar (ist so was wie Gelatine)
700 ml heißes Wasser
60 g Zucker (oder Sirup)
120 g Grieß oder Haferflocken (Weizenkleie geht auch, ist gut für die Verdauung;-).)
1 schön reife Banane

Agar-Agar löst man in dem Wasser auf, gibt den Zucker oder den Sirup dazu, rührt Grieß oder Haferflocken rein, sodass es keine Klumpen gibt, matscht die Banane klein und rührt alles schön durch. Dann streicht man es auf einem Backblech aus, lässt es abkühlen und sticht mit den Gläsern, in die dann die Fliegen kommen, den Fruchtbrei aus. Man kann aber auch Weihnachtskeksförmchen nehmen.

Mann, Em, wo bleibst du?????!!!!

Gut, ich habe meine Schulsachen und das Heft dabei, brauche mich also nicht zu langweilen. GRRRRRRRRRRRRRRRRR!! Ich schreibe jetzt so lange weiter, bis du da bist, damit du mal siehst, wie lange ich immer auf dich warten muss! (Schon wieder 5 Minuten vergangen!!!) Am besten, ich trab schon mal rüber zur Tischtennisplatte. – Moment, jetzt kommt gerade eine süße kleine Baldachinspinne zu mir … *Schnuck, schnuck, komm mal her* … Mit denen kann man so schön spielen. Ich lass sie auf die Hand laufen und puste sie über meinen Finger. Wenn sie sich abseilt, halte ich sie am Faden und lasse sie schaukeln. Dann zieht sie ihre Beine ein und macht sich rund, damit sie besser schaukeln kann. Krass, oder?
Wusstest du eigentlich, dass die kleinste Spinne der Welt nicht größer ist als ein Punkt nach einem Satz? Sie heißt *Patu digua* und lebt auf der Pazifikinsel Samoa. Und halt dich fest! Weißt du, wie das Staatsoberhaupt von Samoa heißt: Tupuola Taisi Tufuga Efi. – IST DAS NICHT EIN KRASSER NAME?!

Sag mal, wann kommst du jetzt endlich? Ich hoffe, du bist wenigstens schon unterwegs, und zwar MIT DEM FAHRRAD! Warum ist dein Handy nicht an? Oder simst du gerade mit HDW? Nun sind schon

wieder zehn Minuten vergangen. Was soll ich mir noch aus den Fingern saugen? Mein Arm tut schon weh. Wenn du in den nächsten fünf Minuten nicht auftauchst, schreibe ich über das Balzverhalten der Laubenvögel.
Na gut, ich spiel jetzt noch fünf Minuten mit den Spinnen.

ES IST BEREITS 15:23!!! FRECHHEIT!!!

Kleinste Spin
der Welt

Mensch, Em, du ahnst nicht, wer hier gerade vorbeigekommen ist! – Tobias und Martin! Ich find ja immer komisch, unsere Jungs außerhalb der Klasse zu treffen. Hatten auch noch zwei Kumpels dabei. „Was machst du denn hier?“, hat mich Martin gefragt. Ich hab gesagt, ich warte auf dich. Da habe ich tatsächlich ein Leuchten in seinen Augen aufblitzen sehen (ich sag's dir: Zorro!!). Dann hat Tobias gefragt, wann du denn kommst, und ist voll rot geworden! Der musste bestimmt in Martins Auftrag fragen, hihi. Ich hab gesagt, dass du jeden Moment kommst. Die haben sich ganz verschwörerisch angeguckt, aber dann haben die zwei Kumpels Druck gemacht und alle sind abgetrabt. Wollten irgendwo zum Bolzen. Echt. Diese Kinder!

Also jetzt reicht es, Em. Wieso bist du immer noch nicht da? Du wolltest doch **pünktlich** sein.

Das verzeih ich dir nie, dass du mich sooo lange warten lässt! Jetzt habe ich auch keine Lust mehr, über das Balzverhalten der Laubenvögel zu schreiben. Das hast du nun davon. Und wenn du nicht in zwei Minuten da bist, hau ich ab!

Gggggggggggrrrrrrrrr!!!!!!!!

Ich fass es nicht … Ich sehe dich! Jaaaaaaaaaaa, du bist es!!!!! Endlich! Aber wieso kommst du zu Fuß???

Abends, im Bett

Mann, da hast du ja echt Schreibwut gehabt – oder vielmehr Wut auf mich, aber wirklich SORRY, SORRY noch mal, dass ich einen Platten hatte!!! War diesmal wirklich nicht meine Schuld. (Und mein Handy kein Akku mehr. LEIDER.) Manchmal kommen im Leben auch alle Katastrophen auf einmal!
Noch mal kurz zu heute Nachmittag. Es war total schön, mal wieder Tischtennis zu spielen. Auch wenn du andauernd gewonnen hast. Verstehe gar nicht, wie man so gut sein kann. Andererseits ist das wohl nichts Besonderes, wenn man einen älteren Bruder hat, der es einem beibringt. Meinst du, er könnte mir auch „Nachhilfe" geben?

(Ich finde, er sieht übrigens echt süß aus, mit seinen Struwwelhaaren. Die Kurzhaarphase fand ich nicht so krass.) *By the way*, wer waren denn die zwei Mädchen, die ihn besucht haben? Die eine sah ja echt cool aus, in dem mintfarbenen Kleid, der kaputten Leggins und den deftigen Schuhen. Ich fand auch ihre megakurzen Haare geil. Ganz schön mutig, sich als Mädchen die Haare so kurz schneiden zu lassen.
Ja, ja, dein Bruder. Dass er mir auch immer wieder den Kopf verdreht … Ich kann echt nichts dafür. Wenn ich ihn sehe, bin ich hin und weg. Das war ja schon im Kindergarten so. Vielleicht könnten wir in den Ferien für ein paar Wochen Geschwister tauschen. Du findest Luise doch so knuddelig. Na, wie wäre das? Übrigens hast du mir immer noch nicht gesagt, ob Jakob gerade Single ist.
Langsam mache ich mir Sorgen, weil sich HDW heute seit der Schule nicht mehr gemeldet hat. Vielleicht war es noch nicht so klug, ihn heute nicht zu treffen. (Aber Hip-Hop war so geil!) Ich weiß, du kannst mir keinen Rat geben, weil du lieber mit Spinnen spielst oder dich mit dem Balzverhalten von Laubenvögeln beschäftigst statt mit Liebesbotschaften von menschlichen XY-Chromosomen-Trägern (Du siehst, Bio ist auch an mir nicht ganz vorbeigegangen). Ich muss mich da wohl ein bisschen für dich umgucken, weil du sonst nie unter die Haube kommst. (Wie findest

du das?) Wie wäre unser Johan (mit dem markanten Zorro-Gesicht)? Oder Tobias? Oder meinetwegen auch Zorro-Kandidat Nr. 2: Martin, den ich gern an dich abtreten würde, wenn ich deinen Bruder kriege.
Sag jetzt nicht gleich wieder Nein! Auch eine Nobelpreisträgerin in Biologie braucht einen Mann, liebe Alex. Jedenfalls kommt das besser, wenn bei der Verleihung jemand dabei ist, der einen vor lauter Stolz und Liebe nur so anstrahlt. (Vielleicht wird es ja auch José???) Natürlich würde ich dir auch dein Hochzeitskleid entwerfen: ein aus Spinnenfäden gewobenes Oberteil, trägerlos, leicht klebrig, sodass es gut auf der Haut liegt und nicht verrutschen kann.
(Natürlich werden die Spinnenfäden synthetisch hergestellt, wir wollen ja keine Spinnenausbeuterei betreiben!)
Der passende Rock dazu ist aus Birkenblätterstängeln geknüpft, wobei man auch da Spinnenfäden mit verarbeitet, wegen der Elastizität. Beides in Naturfarben, mit einem ringfingerschmalen Gürtel aus oranger Raupenseide. Für den Kopf einen passenden *Bowknot*-Hut aus nacktschneckenfarbigem Flachs, dazu knallrote Lippen. Über eine Schleppe, die mit einer Silberkette locker um deinen Hals festgemacht wird, lässt sich reden.
Es sollte auf keinen Fall am Preis scheitern, liebe Alex, denn das Kleid ist natürlich ein Geschenk von mir! Als Wiedergutmachung für die kleine Verspätung. Hab mich nämlich

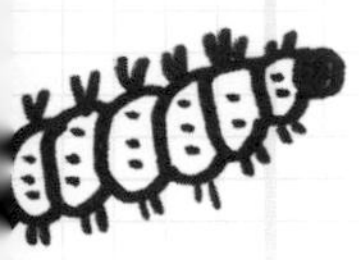

echt beeilt. Was kann ich dafür, wenn mein Fahrrad einen Platten hat? Jetzt steht es am Südstern. Meinst du, dein Bruder könnte es mir reparieren? Würdest du Jakob mal fragen?

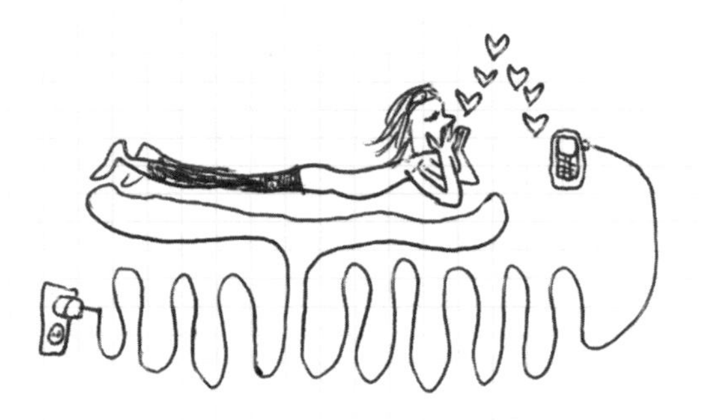

Später

Puh, jetzt ist es gleich schon Mitternacht. Genau 12 Stunden und 38 Minuten seit HDWs letzter SMS und ich hab immer noch keine neue gekriegt. Ist sie vielleicht im Funknetz stecken geblieben? Oder habe ich seine Antwort übersehen, schließlich hing mein Handy den ganzen Nachmittag an der Steckdose. – Nein. Leider. Nix im Speicher. Hm. Ob ich ihm jetzt eine schicken soll? Oder vielleicht noch ein Smiley??? Aber so kurz vor Mitternacht??? Ist das nicht zu schnulzig??? Immerhin ist fast Vollmond.

Habe den ganzen Abend an meinem Schreibtisch gesessen und dein Hochzeitskleid entworfen. Muss ich dir morgen unbedingt zeigen. Gute Nacht!
PS: HDW hat sich immer noch nicht gemeldet!
PPS: Was ich noch fragen wollte: Was ist da eigentlich wirklich zwischen dir und José? (Hast du das Fragezeichen hinter dem Satz bemerkt, Alex?!?!)

Ethik

Das Fragezeichen war ja nicht zu übersehen! Mann, du hast dir ja gestern Abend echt noch die Finger wundgeschrieben!
PS: Auf den nacktschneckenfarbenen *Bowknot*-Hut kann ich verzichten.

Spar dir dein Mitleid und beantworte lieber meine letzte Frage!
PS: Na gut, aber du weißt nicht, was dir da entgeht.

Zwischen José und mir? Was soll denn da sein, bitte schön? Nur wenn man mal einen Jungen kennt, der kein Schwachkopf ist und sich ganz normal benimmt, auch wenn Mädchen anwesend sind, muss da ja nicht gleich **was** sein! Das gilt auch für Zorro – ohne dass wir wissen, wer da überhaupt hintersteckt!

Das finden wir schon noch raus. Hab auch eine gute Idee, wie. Aber sag jetzt erst, was sich da mit dir und José anbahnt? Immerhin verbringst du neuerdings kostbare

Freizeit mit ihm. Auch wenn du's nicht erwähnst, krieg ich's doch mit.

Wir haben einen gemeinsamen Forscherdrang, wenn du's genau wissen willst. Er kennt total viele Pflanzen beim lateinischen Namen. Auswendig! Letztens sind wir an einer Brennnessel vorbeigekommen und er sagt gleich: *Urtica dioica*. Und Löwenzahn heißt: *Taraxacum officinale*.

Seit wann interessiert dich Latein, Alex?

Schon immer, liebe Em! Aber nur lateinische Bezeichnungen. Nicht so sehr die nervende Grammatik! (Ich finde auch den Genitiv nicht geil – wollte ich dir die ganze Zeit schon sagen!) Käfer heißen zum Beispiel *Coleoptera*. Ist das nicht krass!?!

Häh? Ich dachte *Scarabaeus*???

Die Blatthornkäfer (*Scarabaeidae*) sind eine Familie in der Ordnung der Käfer (*Coleoptera*). Zum Beispiel gehört auch der Heilige Pillendreher (*Scarabaeus sacer* – hab dir letztens ein Bild gezeigt) zur Familie der Blatthornkäfer. Alles klar?

Ach so. Tja. Also. Kratz (am Kopf). Bist du echt sicher, dass Käfer „Coleoptera" heißt? Ich meine, das hört sich schwer nach „Kleopatra" an. Verwechselt José da vielleicht was? Ich meine, überprüfst du, was er sagt, oder glaubst du ihm alles aufs Wort? Vielleicht will er dir nur imponieren, weil er weiß, dass du auf lateinische Begriffe stehst. (Ich darf auch mal skeptisch sein!!!)

Keine Angst, COLEOPTERA und KLEOPATRA verwechsel ich schon nicht, liebste Em. Und dass *Coleoptera* auf Lateinisch Käfer heißt, wusste ich schon vorher. Und hier geht es um Tatsachen. Und das hat nichts mit Glauben zu tun, sondern mit Wissen. **Ich weiß einfach, dass es stimmt.** (Klar darfst du auch mal skeptisch sein!!!)

Okay. Okay. Ich würde trotzdem sagen, dass es sich nicht nur um reines Wissen handelt, sondern auch um Vertrauen. Du vertraust José. Schön. Schön. Vertrauen ist gut, Kontrolle ist besser, sagt meine Mutter immer, und ich werde später *Kleopatra* – äh – Coleptora – oder wie das heißt (die gemeinen Käfer halt) googeln.

Mach das. Dein Spinnenfädenkleid ist übrigens total krass! Du solltest echt mal an einem Modewettbewerb teilnehmen, du würdest damit den ersten Platz gewinnen – mit deinen anderen Sachen auch, wirklich! Und danke, dass du mir ein Hochzeitskleid schenken willst.

Zu gegebener Zeit komme ich drauf zurück, ehrlich! Bis dahin wird mir bestimmt auch einfallen, was ich dir zu deiner Hochzeit schenken könnte. Ich glaube nämlich, dass du früher heiraten wirst als ich. (Hoffe nur nicht HDW!)

Deutsch

Doktor Schnarch liest schon wieder vor. Gähn! Kieferknack!

Na, dann erzähl ich dir jetzt endlich etwas über das Balzverhalten der Laubenvögel :-). Sozusagen als Bonus, damit du auch in Bio so gut wirst wie in Deutsch; -)).
Also, die Männchen der Laubenvögel arbeiten nämlich mit einer OPTISCHEN TÄUSCHUNG bei der Balz, um die Weibchen rumzukriegen, und zwar so:
Sie bauen einen ca. einen Meter langen Tunnel. Das angelockte Weibchen bleibt vorn am Eingang stehen und sieht nur den Schnabel vom Männchen, das verschiedene farbige Teile im Schnabel hält, um ihr damit zu imponieren. Zum Beispiel Schneckenhäuser, Beeren oder schillernde Käfer. Kleinere Gegenstände zeigt er ihr auf kürzere Distanz, damit sie genauso groß ausse-

hen wie die richtig großen, die er am Ende des Tunnels zeigt. (Er hat verschiedene „Zugänge" auf der Seite des Tunnels.) Und stell dir vor, das Weibchen fällt auf die optische Täuschung rein! Nach der Paarung zeigt es keinerlei Interesse mehr an den schicken Gegenständen, frisst auch nichts davon auf. So kann das Männchen die Requisiten für die nächste Balz noch mal gebrauchen. IST DAS NICHT COOL?

Cool? Das ist sexistisch! Der reinste Laubenmacho!

Laubenmacho? – Du leidest unter *Anthropomorphismus*!

Ach wirklich? Was war das denn noch mal?

Du hast die Tendenz zur Vermenschlichung.

Alex, ich bin ein Mensch!!!

Ja, ich weiß. Aber die Laubenvögel nicht!!!

Aber du hast doch gestern selbst gesagt, dass das Balzverhalten was mit HDW zu tun hätte. Das ist doch dann auch anthro-dingsda.

An-thro-po-mor-phisch (ist das nicht ein extrem geiles Wort!). Ich meinte das in Bezug auf die Täuschung. Die

Jungs schreiben Liebes-SMS, die man sich normalerweise erst zur Silberhochzeit schreibt. Ich zitiere: „Ich liebe dich über alles!" – Ich bitte dich, Em, welcher normale Mensch sagt denn so was, wenn man sich gar nicht kennt? Aber die Mädchen fallen reihenweise darauf rein und sind nicht mehr zu gebrauchen. Das ist doch auch eine Täuschung.

Ach, ich bin also nicht mehr zu gebrauchen, oder was?!! Und was heißt hier „reihenweise"??? Lass dir eins gesagt sein:

1. Ist die SMS keine Täuschung. Ich kann nämlich sehr gut lesen und falle nicht auf Schneckenhäuser, bunte Beeren oder schillernde Käfer rein.
2. Schreibt man sich zur Silberhochzeit sicher nicht mehr solche SMS, weil man sich a) nach 20 Jahren Ehe eh nichts mehr zu sagen hat oder b) sowieso längst geschieden ist.

1. Hat man Silberhochzeit nach 25 Jahren Ehe und
2. frage ich mich dann, warum du HDW überhaupt heiraten willst, bei so einer miesen Prognose.

ICH WILL HDW JA GAR NICHT HEIRATEN!!!!!!!!!!!!

Wir wollten wirklich nicht in euren Angelegenheiten schnüffeln, aber die Seite ist von selber aufgeklappt und der letzte Satz von Emily ist uns geradezu ins Gesicht gesprungen. Wir sagen dazu: Schade, denn wir (Steffi + Nicole) finden, dass Emily und HDW das ideale Traumpaar abgeben würden :-).

Alex! Was sagst du dazu? Sie finden, ich und HDW sind das ideale Traumpaar. Uuaahh, wie geil!

Komm mal wieder runter, Em. Es ist nun schon das zweite Mal, dass sie sich in unsere streng geheime Korrespondenz einmischen! DAS GEHT GAR NICHT!!!

Ja, du hast recht. Gut, dass du sie gleich mit deinem Killerblick angeguckt hast und sie nicht weitergelesen haben. Viel schlimmer wäre es, wenn ein Lehrer tatsächlich mal unser Heft einkassiert. Aber mit dem Risiko müssen wir leben.

Englisch

Die Zeit vergeht so langsam. Und sieben Stunden am Freitag müssten verboten werden!!!!!!! Ich bin am Überlegen, ob ich mich von Religion befreien lasse. (Hoffentlich darf ich das.) Sag mal, findest du, dass meine Haare heute gut liegen? Und findest du, dass man meine Pickel noch sieht?

Ja. Liegen gut. Nein. Sieht man nicht. Ja, ich werde nächstes Schuljahr auch kein Reli mehr machen. Meine Mutter unterstützt mich da voll. Sie meint, Religionsunterricht sollte sowieso nichts mit Schule zu tun haben. – Noch mal zu gestern Nachmittag: Ich finde, wir sollten öfter Tischtennis spielen. Du wirst immer besser. Und wenn du erst mal schmettern kannst, macht es tierisch Spaß. Jakob hat das Tischtennisspielen übrigens von mir gelernt! Außer Computerspiele kann der nämlich gar nichts. Schwachkopf hoch zehn! Wie oft soll ich dir das noch sagen? Und ja, er hat eine Freundin, Penelope Nissel, so eine Push-up-Tusse (PuT). Und die Mädchen von Montag kenne ich nicht. Hab nur mitgekriegt, dass die mit den kurzen Haaren Miriam heißt. Wahrscheinlich eine neue Anwärterin. Ich würde Jakob übrigens nicht gegen deine kleine, süße Schwester eintauschen, sondern ihn am liebsten verschenken, irgendwo nach Afrika.

Wo hat er eigentlich die PuT her? Wie alt ist sie? Und was ist denn eine „Anwärterin“? Lebt dein Bruder im Zoo????
PS: Eigentlich können wir sie dann gleich PuTe nennen. Bietet sich doch an, oder?

Leider nicht! Und ich hab keine Ahnung, wo er seine Freundinnen immer herhat. Die tauchen auf und verschwinden wieder. (Nur du bist ihm seit deinen Kinder-

gartentagen treu.) Wollen wir jetzt mal über was Vernünftiges schreiben? Dann kreuz endlich was an!
PS: Ja. „PuTe" passt. „Blöde Pute" noch besser. ☺

Ich kreuz erst was an, wenn du mir gesagt hast, wie alt seine Freundin ist.

14, glaub ich. – Nun mach schon!

Moment. Noch kurz 'ne Frage: Wieso willst du Jakob nach Afrika verschenken?

Weil er Hitze nicht ausstehen kann.

Könnte Jakob vielleicht vorher noch mein Fahrrad reparieren?

Keine Ahnung. Frag ihn doch selber. Jetzt kreuz bitte endlich was an!

Dann bräuchte ich seine Handynummer oder besser seinen Namen bei *Facebook*. Und kannst du mir nachher mal erzählen, wie die Penelope Nissel aussieht usw. …

Jakob hat keinen *Facebook*-Namen. Er benutzt seinen richtigen Namen (totale Fantasielosigkeit). Ich hab dir doch gesagt, wie *behaart* mein Bruder ist …

Jakob ist doch nicht behaart!

Du weißt schon – im Sinne von „zurückgeblieben" (du erinnerst dich: *Homo erectus* – eine Stufe vor *Homo sapiens*). Und apropos Fahrrad, Em: Ich muss meins immer selber reparieren. Jakob reicht mir nicht mal den Knochen.

WELCHEN KNOCHEN??? Sind wir hier bei Hänsel und Gretel oder was?

Den Fahrradknochen natürlich.
Diesen Schlüssel für die Schrauben.
Du weißt genau, was ich meine.
Tu nicht so!

Noch mal kurz zu Penelope N. Wie sieht sie nun aus?

Ein bisschen punktig.

Wie jetzt, sie ist voller Punkte))????? Hat sie etwa Windpocken oder ist sie die Schwester vom SAMS?

Ich meinte natürlich **punkig**. So mit schwarzen Schnürstiefeln und Mini-Schottenrock und blauer Strähne im schwarz gefärbten Haar.
Du verstehen?!

Ja, ja. Seit wann steht Jakob denn auf Punks?

Weiß nicht. Ich will auch nicht mehr über meinen behaarten Bruder schreiben.

Ist ja gut. Gleich ist Pause. Zum Glück! Gehen wir zum Bäcker? Ich glaub, ich brauch einen Zuckerschock.

Religion

Alex!!!!!!!!! War HDW nicht süß!!
Er ist genau einen Kopf größer als ich
und hat wirklich wunderschöne braune Haare.

Wie ein Wollhaarmammut.

Und wie locker er da mit dem Skateboard angerauscht kam! Echt filmreif!

Für genau drei Minuten und siebzehn Sekunden, dann ist er ja schon wieder abgerauscht.

Sein Handy hat geklingelt!

Meinst du etwa, seine Tante aus Bad Tölz hat ihn angerufen?

Was soll das denn heißen?

Hast du nicht gesehen, wie er in sein Telefon gegrinst hat? Hundertpro war der schon wieder mit einer anderen am Flirten.

Alex, was du immer gleich denkst. Du bist echt unmöglich!!

Er ist mir eben einfach nicht koscher.

Wie du schon wieder redest! Bist du meine Gouvernante, oder was? Außerdem will ich ihn nicht aufessen. *Koscher* ist nämlich die Bezeichnung für jüdisches Essen. Für gläubige Juden muss das Essen *koscher* sein, das heißt, irgendwas darf nicht zusammen serviert werden, ich glaube, Fleisch und Milch. Die haben sogar für alles Extrateller.

Danke für die Belehrung, Em. Das weiß ich schon. Und wenn einem etwas nicht geheuer ist, sagt man auch: *Das ist mir nicht koscher.* Und dafür muss man kein gläubiger Jude mit getrennten Tellern sein. Und um wieder auf das Thema zurückzukommen: HDW ist mir nun mal nicht koscher. Und wir haben immer gesagt, wir bleiben ehrlich zueinander. Das haben wir uns schon in der Grundschule geschworen. Weißt du noch? Deswegen sage ich dir meine Meinung, solange wir noch befreundet sind. Und die offen und ehrlich!!!

Gut! Natürlich weiß ich das noch. Wollen wir aufhören?

Bist du jetzt beleidigt?

Nein, überhaupt nicht!!!!!!!!!!!!!!!!!!!!! Wie fändest du eigentlich, wenn ich so schlecht über José reden würde?

Erstens rede ich nicht schlecht über HDW – ich bin nur realistisch.
Zweitens gibt es nichts Schlechtes über José zu sagen.
Drittens kann man HDW und José nicht vergleichen.

So? Warum denn nicht? Weil du nur die Guten kennst und ich die Schlechten?

Nein, nein. Weil deine Beziehung zu HDW eine ganz andere ist als meine zu José. Du bist total verknallt, ich nicht!! Da stimmen also schon mal die Vorzeichen nicht. Deshalb kriegt man das auch nicht auf einen gemeinsamen Nenner, sprich, die Gleichung geht nicht auf.

Du treibst mich in den Wahnsinn, Alex, weißt du das!

Du mich auch!

Mathe

Die Botschaft an der Tafel ist ja echt der Hammer: „Ich kämpfe für dich, süßer Käfer. ZORRO“. – Vor allem „süßer Käfer“ – damit bist bestimmt du gemeint, Alex.

Ich? Wieso denn? Niemals!

Weil du ein süßer Käfer bist. ☺

Echt, Em, es reicht!!! Ich will jetzt wissen, wer Zorro ist. Die Jungs gehen mir mit ihrem blöden Gekicher total auf den Senkel!

Ich finde kichernde Jungs ganz süß. Tja. Wer von ihnen könnte es sein? Martin wohl doch nicht. – Den haben wir ja in der Pause draußen am Fahrradstand gesehen.

Da hast du allerdings recht. Und was ist mit Johan und seinem markanten Zorro-Kinn? Guck mal, wie Johan guckt!

Ja. Aber ehrlich gesagt, weiß ich nicht mal genau, wie Zorro aussah, ich meine, der richtige Zorro. Wollte dich die ganze Zeit schon fragen, wer Zorro überhaupt war.

Irgend so ein Held mit schwarzer Augenmaske und schwarzem Umhang. Der hat allen, die er getötet hat, ein Z in die Haut geritzt. Jakob hatte auch mal eine Zorro-Phase. Einmal hat er mir mit schwarzem Edding ein Z auf die Stirn gemalt. Habe ich tagelang nicht abgekriegt!

Krass. 😄

Am besten, wir betrachten die Frage, wer Zorro ist, logisch. Ich fass mal unsere Ermittlungsversuche zusammen:

1. Mit Schrift-Vergleichen sind wir nicht weitergekommen, weil keiner den Satz schreiben wollte. (Ich weiß, ich weiß, du hast es gleich gesagt.)
2. Rausfinden, ob jemand auffällig guckt, ging auch nicht, weil alle auffällig geguckt haben, nachdem wir sie auffällig angeguckt haben.
3. Immerhin haben wir die Verdächtigen auf Martin und Tobias und Johan reduzieren können, weil der Rest der Jungs sowieso nicht infrage kommt. Die würden sich eher in die Hose machen, als einer von uns zu schreiben, dass sie uns süß finden. (Außer Kleinmacho Rico natürlich. Vielleicht sollten wir den nicht ganz außer Acht lassen!)

Du hast recht. Rico könnte es auch sein!
Aber ein 1,30 Meter großer Zorro???

Ey, ich fass es nicht! Weißt du, was ich gerade gesehen habe? Johan hat ein ziemlich großes, eingeritztes Z auf dem Arm. Guck mal schnell hin, er hat die Ärmel hochgezogen!

Johan???? Ich kann das von hier nicht sehen.

Aber ich. Glaub mir. Er hat ein Z wie Zorro!!!

Ach du Scheiße, Johan ritzt sich?

Glaub ich nicht. Der hat keine Macke. Ist ja nicht mal ein Scheidungskind. Das ist der Beweis!

Jetzt sehe ich es auch. Sieht wie ein Zickzack-Kratzer aus.

Eindeutig ein Zorro-Z. So schnell können sich manchmal die Nebel lichten.

Welche Nebel???

Mann, Emily, zier dich doch nicht so. Johan ist Zorro! Hab ich ja von Anfang an geahnt, wegen dem markanten Kinn.

Wegen **des** markanten Kinns! Alex.

Auf jeden Fall haben wir ihn jetzt.

Du immer mit deinem blöden markanten Kinn!!!

Nicht mit meinem. Mit Johans. Und damit, liebste Em, hättest du einen neuen Verehrer aus der Klasse. ☺

Oder du! Hm. Johan ist ja ganz okay – schnuckelig-schlaksig halt, aber schade, dass es nicht Martin ist. Ich finde, er ist schon wieder gewachsen und sieht mit jedem Schub besser aus. Außerdem liebe ich nach wie vor seine Käsebrötchen.

Wenn du ihm seine Käsebrötchen weiter wegisst, wächst er nicht mehr. ☺

Wir haben eine wichtige Information für Emily. Wollt ihr sie wissen? (Steffi & Nicole)

Ja. Aber nur, wenn ihr endlich aufhört, euch in unser Heft zu mischen!!!!!!!!

Dann müsst ihr eben bis zur Pause warten.

Okay, schreibt es auf, verdammt noch mal, und dann nie wieder in unser Heft. Klar!!!!

Wenn du so fies zu uns bist, dann schreiben wir es nicht.

Doch! Alex meint es nicht so. Es ist ja eine Nachricht für mich. Also, schreibt's auf!

Okay, das ist ja schon mal ein anderer Ton :-) Wir finden, ein bisschen Dankbarkeit kann nie schaden.

Ja. Danke. Was ist es denn nun?????????????

HDW geht Montag auf Klassenfahrt, nach Paris.

Wie bitte? Woher wollt ihr das wissen????????????????

Wir haben da unsere Quellen. Brauchst es ja nicht zu glauben. Stimmt aber.

Dann sagt doch endlich, woher ihr das wisst!

Das ist echt cool, in so ein Heft während des Unterrichts zu schreiben :-). Dafür würden Nicole und ich uns direkt auseinandersetzen lassen.

Bitte, bitte, sagt es!

Okay, wir verraten es: Die 1-a-Nachricht haben wir von Simone Auerhahn, aus der 9a (seiner Parallelklasse!!!), ihr wisst doch, die Blonde, die immer mit ihm flirtet. Also, Emily, wir drücken dir die Daumen, dass du es trotzdem schaffst, wegen Traumpaar und so;-)). Simone A. ist nämlich echt doof!!

Geografie

Puh, Mist, dass HDW schon Schulschluss hat. Und gut, dass er in der kleinen Pause noch zurückgesimst hat. Ich hätte diese Ungewissheit sonst nicht ausgehalten! Alex, Hilfe!!! Steffi und Nicole haben recht! Er fährt tatsächlich nach Paris, aber das ist keine Klassenfahrt, sondern ein internationales Treffen, wo verschiedene Schüler aus der Neunten und Zehnten hinfahren. Und zwar leider schon von Samstag bis Samstag. Mist! Morgen früh geht's los. Dann kann ich ihn über sieben Tage nicht sehen!!! Uaaaaaaaahhhhhhhh!!!

Wieso hat er dir das denn nicht selber gesagt?

Er wollte es mir ja vorhin beim Bäcker sagen, aber dann musste er dringend noch mal telefonieren, weil er heute noch zum Zahnarzt muss. Und dann hat er es vergessen.

Er weiß es ja nicht erst seit heute!

Ja und!!! Wenn du so negativ bist, sag ich dir nix mehr.

Nun sei doch nicht beleidigt.

Ich bin nicht beleidigt!

Was hat er dir eben gesimst?

Willst du es wortwörtlich wissen?

Natürlich!

„Sorry, sorry, Mäuschen. Hatte völlig vergessen, dass ich ja nach Paris muss. Und gleich muss ich noch zum Zahnarzt. *Merde!*" – Merde heißt Scheiße.

Das weiß ich auch!
PS: „Mäuschen"???

Freitagabend, auf meinem Bett

Alex, ich kann mich nicht ablenken, muss die ganze Zeit an HDW denken. Würde gern mit ihm nach Paris fahren. Paris!!! Die Stadt der Liebe! Hoffentlich verdrehen ihm die schönen Französinnen nicht den Kopf!
PS: Was hast du gegen „Mäuschen"? Ich finde kleine Mäuse übelst süß!

Freitagnacht

Ach, Alex, stell dir vor, HDW hat mir gerade noch gesimst: „Ich vermisse dich jetzt schon!"

Ist das nicht wundervoll! Dass er mich vermisst, noch bevor er weg ist, und dass er es mir auch noch schreibt! Und ich ihn erst mal!!! Das wollte ich ihm eigentlich zurücksimsen, aber dann habe ich es doch nicht getan. Oder soll ich es tun? Du schläfst bestimmt schon. Und ich weiß ja sowieso, was du sagen würdest.
Ach, Alex … Jetzt habe ich ihm doch noch was zurückgesimst, was ganz Unverfängliches: Gute Reise!

Deutsch

Was war das eben mit dem Stacheldraht???

Steffi und Nicole haben gesagt, Johan ist nicht Zorro
Er hat alles abgestritten.

Ja, aber was war mit dem Stacheldraht?

Johan ist angeblich irgendwo im Stacheldraht hängengeblieben.

HÄH??????? Geht es ein bisschen genauer, Em?!!

Ihm ist angeblich ein Ball auf eine Kuhweide gefallen und beim Wiederholen hat er sich am Stacheldraht geratscht. Daher kommt das Z auf seinen Unterarm.

Wo gibt's denn in Berlin, bitte schön, eine Kuhweide????
Und dann ritzt er sich ausgerechnet ein Z rein?????
Das glaub ich nicht.

Sei doch nicht immer so misstrauisch, Alex. Er war irgendwo auf dem Land und er soll ja noch mehr Kratzer haben. Einen ziemlich langen sogar, am Oberschenkel.

Den würde ich gern mal sehen!!

Okay. Dann schreiben wir ihm jetzt einen Zettel.

An Johan! Warum gibst du nicht zu, dass du Zorro bist?

An Emily und Alex: Weil ich's nicht bin!

Dann beweis es! Zeig uns deine anderen Kratzer!

An Emily und Alex: Das geht nicht!

Dann glauben wir es dir auch nicht. Ohne Beweise bist du **Zorro**!

An Emily und Alex: Das ist gemein. Das könnt ihr nicht von mir verlangen!

Doch. Oder du lässt gleich in der Pause die Hosen runter! Treffpunkt Fahrradstand. Wenn du nicht kommst, erzählen wir überall herum, du hast einen Zorro-Schlafanzug!!

Das ist echt fies, Em, aber wirksam. Ich geb schon mal den Zettel weiter. Hihi. 😛

Guck mal, jetzt wird er rot, der Gute. Selber schuld. Was fällt er auch in den Stacheldraht. 😛

Französisch

Na, das war ja gerade was! Da hat Doktor Schnarch ja echt nach Luft geschnappt. Dass sie aber ausgerechnet um die Ecke kommen musste, als Johan seine Hose unten hatte.

Und dann diese Batman-Shorts! Uaaaaaaaahhhh, wie krass!!!

Ich hätte niiiiieee gedacht, dass er tatsächlich die Hose runterzieht und eine Wunde vorzuweisen hat bzw. ein Pflaster. Aber der Kratzer war eindeutig länger als das Pflaster. Es stimmt also. Außerdem war er noch am Knie verkratzt.

Gut, dass er nicht ABGEKRATZT ist. Hihi. Und als Frau Doktor Schnarch dann auch noch in ihrem nasal-einschläfernden Ton gesagt hat: Kinder, was macht ihr denn da? Und wie die Jungs geguckt haben!!! Hilfe, ich krieg gleich wieder einen Lachkrampf.

Und wie Steffi und Nicole gesagt haben: Wir wollten nur mal gucken, ob er auch keine Blutvergiftung während des Unterrichts kriegt. 😉

Aber echt cool, wie Schnarchi reagiert hat. Ich fand auch gut, dass Johan selber so lachen musste. Eigentlich schade, dass er nicht Zorro ist.

Ach, stehst du jetzt etwa auf Johan????

Quatsch. Von „stehen" kann gar keine Rede sein. Ich vergreif mich doch nicht an UNSEREN Jungs. Aber so ein bisschen Flirten am Morgen vertreibt Kummer und Sorgen. 😉

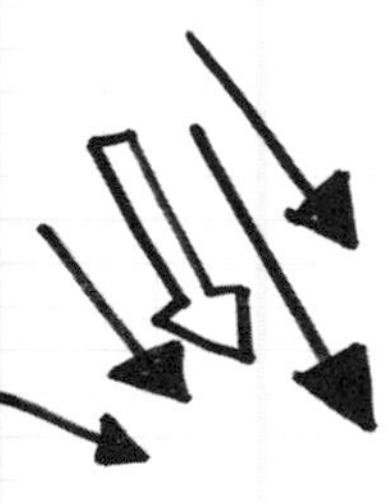

Ja. Johan war echt der Knüller. Der wird bestimmt mal Exhibitionist.

Dafür braucht man auch kein Abitur.

Tja. Bleibt immer noch die Frage: Wer ist Zorro???

Gibt ja jetzt nur noch zwei Verdächtige: Martin und Tobias.

Und Rico.

Quatsch. Viel zu klein für Zorro.

Biologie

Sag mal, wie findest du eigentlich unseren neuen Biolehrer?

Ein bisschen schüchtern, aber sonst ganz nett. Hast du gesehen, dass er andauernd rot wird?

Ja. Süß. Zum Glück schwitzt er nicht so stark wie Herr Körber-Geyer. Seine riesigen Schweißflecken unter den Achseln waren echt unzumutbar.

Ja, der hatte eine komplizierte Schweißdrüsenkrankheit, der Herr Körbchengröße. ☺

Genau! Der litt unter *Ichtibufluss stinkialis* – mit oder ohne Fingerkrebs?

Ichtibufluss stinkialis o. F. (ohne Fingerkrebs), das ist es!!! Hihi. Infolge dieser komplizierten Schweißdrüsenkrankheit waren seine Schweißdrüsen verstopft und deshalb kam ihm der Schweiß sogar aus dem Kragen raus. Deswegen ist er ja auch nur noch „Springer".

Ich stell ihn mir gerade mit Sprungfedern unter den Füßen vor, wie er durch die Schulgänge hüpft: DOING DOING DOING DOING!

Noch mal zu Herrn Bunsenbrenner: Wieso denkst du, wird er andauernd rot?

Herr Busenbremer! ☺

Manno, hör jetzt auf mit dem Scheiß! Er hat mich gerade voll schräg angeguckt. Echt niedlich! Und die beiden Zorros auch.

Selber schuld. Du hast angefangen mit „Herrn Bunsenbrenner". Und ich will jetzt eigentlich aufpassen. Finde seinen Unterricht nämlich echt cool!

Das ist aber nichts gegen „Busenbremer". Vom Namen her würde er prima zu Herrn „Körbchengröße" passen.

Hääh? Wer ist das denn?

Der Schwitzer. Scherzkeks!

Mann, ich muss aufs Klo. Noch so ein Witz und ich mach mir in die Hose!!!!!!!!

Stehen ein Pferd und ein Schaf auf einer Wiese. Sagt das Schaf: „Määääh!“, sagt das Pferd: „Mäh doch selber!“

DU BIST GEMEIN!!!!!!!!!

Na, wie war's auf Klo?

Gut. ☺

Kunst

Wie findest du eigentlich die Figuren vom Sessel?

Cool.

Ehrlich?

Ja. Ich finde, sie hat einen eigenen Stil. Die Gesichter hat sie gut hingekriegt, sie sehen sehr eigen aus.

Findest du, ich habe auch einen eigenen Stil?

Du sowieso, Alex. Warum fragst du?

Ich meine nur. Ich finde ihre Figuren irgendwie blass. Was soll an denen wohl schräg sein? Immerhin war das doch das Thema, schräge Figuren mit schrägen Frisuren zu zeichnen.

Übrigens echt cooles Thema von Frau Schigulla, finde ich, auch, dass sie selbst mit so einer schrägen Frisur in den Unterricht kommt.

Ja. Ich musste zweimal hingucken, bevor ich den Rasierpinsel erkannt habe, der oben aus ihren Haaren rauspüschelt.

Und so kunstvoll eingeflochten. Darauf muss man erst mal kommen! Sie stand bestimmt stundenlang vor dem Spiegel.

Oder hatte Helfer. Auf jeden Fall finde ich Sessels Figuren total bieder.

Na ja. Sie traut sich halt irgendwie nicht so richtig.

Tja. Da nützt eine Menge Schotter eben gar nichts, wenn einem selbst nix einfällt.

Am liebsten würde ich sie ein bisschen umstylen. Guck

mal, zu dieser beigen Hose, die sie heute anhat, würde total gut was Knalliges passen.

Deine Hippie-Jeansweste mit den ATOMKRAFT? NEIN DANKE-Buttons.

Alex!!! Du bist fies.

Warum fies????

Weil sie damit wie eine Witzfigur aussehen würde. Jedes Outfit muss doch zu einem passen. Cecile wirkt irgendwie zerbrechlich. Bei ihr reichen schon kräftige Farben, gut kombiniert. Zum Beispiel würden zu ihrer beigen Hose passen:

- schwarze, knöchelhohe Sneakers und neongrüne Ohrringe ODER
- himbeerfarbene Creolen und himbeerfarbener Lippenstift ODER
- anstelle der hellblauen Strickjacke:
- ein grün schimmerndes Minikleid (über der Hose) mit einer schwarzen grobmaschigen Strickjacke ODER

Ist ja schon gut, ist ja schon gut!!!

Hey, reiß mir doch nicht das Heft aus der Hand. Ich wollte es gerade aufzeichnen.

Es reicht, Em! Ich finde, der Sessel ist alt genug, um sich allein anzuziehen (obwohl sie auf mich ja den Eindruck macht, als würde ihre Mama ihr morgens die schicken Klamotten rauslegen).

Werd doch nicht gleich wieder so stichelig, Alex!

Werd ich doch gar nicht.

Doch.

Wollen wir ranken? Mädchen?

Ja, aber warte ein bisschen. Ich glaube, Frau Schigulla hat unser Gerangel gerade gesehen. Wäre echt scheiße, wenn sie uns auseinandersetzt. Kunst ist immerhin das einzige Fach, wo wir noch zusammensitzen.

Okay, ich fang an:

Steffi:	4	Mir geht ihr ewiges Lächeln auf den Geist, das sieht so falsch aus.
	3–	Ja, mir auch. Wahrscheinlich hat sie es vor dem Spiegel geübt.
Nicole:	4	Lächelt genau wie Steffi.
	3	Na ja, nicht ganz.

Olga:	2+	Cool, wie sie letztens auf den Tisch gesprungen ist und gesteppt hat.
	2+	Sie ist in der Musical-AG. Hat echt Temperament, unsere Olga.
Natascha:	4–	Ihre Armzuckungen sind wirklich lächerlich!
	4–	Cecile hat gesagt, Natascha hätte ihr letztens tatsächlich eine ihrer Strumpfhosen abgeschwatzt.
Leila:	2–	Eigentlich immer gut gelaunt. Lacht viel!
	2	Ihr süßer Bruder hat sie letztens mit dem Moped von der Schule abgeholt.
Mareike:	4	Stöhnt immer so rum, wenn man mal was Falsches sagt.
	4	Ja, verdreht auch die Augen dabei. Als wenn sie alles wüsste!
Aisha:	2	Ich finde sie nett und ich kann super mit ihr in Bio zusammenarbeiten. Sie will jetzt auch mit in die Bio-AG. – Ist das okay für dich?
	2	Ich finde sie auch nett. Und wieso sollte das nicht okay für mich sein, wenn sie mit dir in die Bio-AG geht??!!!

Lina:	2	Nimmt sich selbst nicht so tierisch ernst. Wer über sich selber lachen kann, ist in meinen Augen cool.
	3+	Ja, mir ist auch schon aufgefallen, dass sie die letzte Zeit total locker drauf ist.
Carmen:	2–	Sitze ja neuerdings in Englisch neben ihr und komme eigentlich ganz gut mit ihr aus.
	3	Ja, irgendwie nervt sie nur noch in Sport, mit ihrem „fliegenden Frosch“.
Cecile, genannt der Sessel:		
	4–	eingebildet und arrogant – dabei bleib ich
	3+	Ich find sie eigentlich doch ganz nett. Wir sollten sie nicht weiterhin Sessel nennen.

Somit ist diesmal Olga „Mädchen der Woche“ und Natascha „Tussi der Woche“. Tada-Tada!!!!

Häh? Wieso findest du denn plötzlich Ceciles Spitznamen nicht mehr gut und gibst ihr eine 3+???

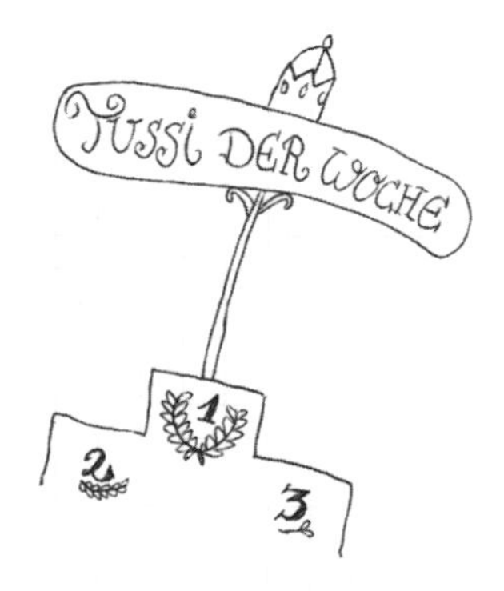

Wir haben ihn ihr nur gegeben, weil wir sie nicht richtig verstanden haben, als sie neu in die Klasse gekommen ist.

Aber du hast gleich gesagt, das wäre doch ein cooler Spitzname.

Finde ich aber nicht mehr.

Ach so? Ich finde, er passt super zu ihr. Oder noch besser: Plüschsessel, so, wie die sich aufrüscht!!!

Sie „rüscht" sich doch gar nicht auf, Alex. Sie trägt halt nur edle Klamotten. Und wie gesagt, es geht ja nicht NUR ums Äußere. Zu mir ist sie in letzter Zeit echt nett.

Dann gib ihr doch nächstes Mal gleich eine 2!

Französisch

Es regnet ja wie bescheuert! Und dass wir trotzdem in der Pause rausmussten, grenzt an Körperverletzung. Ich habe klitschnasse Füße. Scheißtag! Und Französisch ist heute mal wieder so was von öde! Außerdem brummt mir der Schädel und Tobias guckt die ganze Zeit zu mir rüber. Wenn der so weitermacht, werfe ich ihm was an den Kopf!

Ja, mach das, Alex. Mir steckt noch der unangekündigte Mathetest von heute Morgen in den Knochen. Voll fies! Dass ich ganz allein ganz vorn sitzen musste, war echt unmenschlich. Hoffentlich kriege ich noch eine 3!

Hier müffelt es auch so moderig.

Vielleicht sind das deine nassen Füße, Alex.

Haha! 🙁

Echt blöd, dass HDW nicht da ist …! Wie soll ich das nur bis nächste Woche aushalten? Und ausgerechnet an so einem miesen Tag hat Martin kein Käsebrötchen dabei, wo ich doch jetzt schon Hunger habe.

Kannst meine Stulle haben.

Was hast du denn drauf?

Käse.

Mir ist aber nicht nach Käse!

Ach, aber von Martin hättest du das Käsebrötchen genommen???

Alex, bitte, nicht nur du bist GENERVT!

Guck mal, Natascha zuckt schon wieder der Arm.
Ätzend!!!

Und Tobias glotzt dich immer noch so an!

Was ist denn mit dem?

Keine Ahnung. Lass ihn doch.

Mir reicht's. Unter meiner Bank liegt noch ein alter Apfelklitsch. Den werf ich ihm jetzt an den Kopf.

Alex, seit wann bist du denn gewalttätig? Guck mal, er guckt jetzt gar nicht mehr.

GUT! Worüber wollen wir uns schreiben?

Ehrlich gesagt, habe ich gar keinen Bock, was zu schreiben. Es ist so furchtbar, dass ich HDW nicht mal simsen kann! Er hat sein Handy ausgestellt, weil es zu teuer ist, von Frankreich aus zu simsen. Hoffentlich lässt er sich nicht von den hübschen Französinnen verführen! Sag mal, kann ich nicht heute Nachmittag zu dir kommen? Dann können wir die Scheiß-Vokabeln zusammen lernen.

Kommst du wegen mir und den Scheiß-Vokabeln oder wegen Bruder Jakob? Sei ehrlich!

AUCH wegen Jakob, aber NICHT nur.

Jetzt müssen wir auch noch die ganzen Fragen zum Text schriftlich beantworten. Es kommt aber auch immer alles auf einmal! Ich kann ab drei.

Ich bring auch was Schönes mit!

Was denn?

Schnecken.

Weinbergschnecken???

Nein, Rosinenschnecken.

Ach, dann lieber Schweinsöhrchen.

Englisch

Ich fass es nicht, da stiefelt José direkt auf dich zu und fängt an, mit dir zu quatschen, als wärt ihr schon zehn Jahre verheiratet, und so ganz nebenbei erfahre ich, dass er gestern sogar bei dir zu Hause war. Sag mal, Alex, geht's noch???

Was?

Wieso hast du mir nichts davon erzählt? Wir quälen uns hier durch den Unterricht und die rettenden Highlights behältst du für dich.

Das war kein Highlight.

Was war es denn?

Ein kurzer Besuch.

Alex, wenn du jetzt nicht genau schreibst, was los war, rede ich nie wieder mir dir!

Sei doch nicht immer so dramatisch, Em. Nix war los. José war nur kurz in meinem Zimmer.

Geht's ein bisschen deutlicher, liebste Alex???

Eigentlich gibt's da echt nichts weiter zu erzählen.

Alexandra!!! Beantworte mir jetzt mal ganz konkret zwei Fragen:

1. WIE kommt José in dein Zimmer?
2. Und WAS habt ihr die ganze Zeit gemacht?

Es war nicht „die ganze Zeit", Em. Ich sagte doch, es war nur „kurz". Da konnten wir nichts „machen". Er wollte schon länger mal meinen aufgespießten Blatthornkäfer und die vertrocknete Fledermaus sehen. Das habe ich dir doch schon erzählt.

Ja, aber wie kam er nun in dein Zimmer?

Durch die Tür. ☺

Grrrrrrrr!!!!

Okay, okay. Wir haben uns zufällig am Kleistpark getroffen. Er kam gerade vom Schlachtensee und hatte ein paar Wasserflöhe gefangen – falls dich das interessiert! Er hat mir die Wasserflöhe gezeigt und von den Wasserflöhen kamen wir dann auf den Blatthornkäfer zu sprechen, und da fiel ihm wieder ein, dass er ja die vertrocknete Fledermaus gern mal sehen würde. Da ist er halt kurz mitgekommen.
Voilà. C'est tout!

Dienstagnachmittag

Alex, bin gerade nach Hause gekommen und hab gesehen, dass die Schweinsöhrchen noch auf meinem Schreibtisch liegen. Sorry, dass ich sie vergessen habe! Nehm ich morgen mit in die Schule. Ich hoffe, du bist auch nicht mehr sauer, weil ich vorhin nicht viel Zeit für deine Fruchtfliegen hatte und dir nicht beim heimlichen Nährbodenkochen helfen konnte. Holen wir nach, versprochen! Aber Wahnsinn, wie deine Drosophila-Population gewachsen ist. Tierisch – im wahrsten Sinne des Wortes! Ist ja schon ein bisschen unheimlich, so ein dichtes, schwarzes Gewimmel in den Marmeladen-

gläsern. Einzeln betrachtet sind sie ja echt klein und niedlich.
Und Jakob erst mal! Mann, war der süß vorhin. Und so gut, dass kein einziges Mädchen bei ihm rumhing. Dann hätte ich mich bestimmt nicht getraut, mich so locker mit ihm zu unterhalten. Und danke, Alex, dass du mich gelassen hast!!!

Später

Echt, Jakob ist so was von cool! Und auch so vertraut. Ich glaube, es macht eben doch was aus, wenn man sich schon aus Kindergartenzeiten kennt, ich meine jetzt, aus meinen Kindergartentagen. Und wie er mein Fahrrad geflickt hat! Keine zehn Minuten und das Teil fährt wieder. Irre, oder? Als du beim heimlichen Nährbodenkochen für deine *Drosophilas* warst, war ich ja noch kurz mit bei ihm im Zimmer. Er hat ja jetzt eine Band. Warum hast du mir davon nie was erzählt, Alex? Oder weißt du es etwa gar nicht? „Die Störtebekers" heißt sie und demnächst haben sie ihren ersten Auftritt. Jakob sagt mir Bescheid. Wollen wir dann da hingehen?
Jetzt stöckelt gerade Luise in mein Zimmer. Sie trägt rote Pumps von meiner Mutter und will ein langes Kleid von mir. Ich soll ihr was „basteln". Sie will nämlich auf den Ball, wo Dornröschen auch hingeht. Ich hab gesagt, Dornröschen schläft schon. Nützt aber nichts.

Mittwoch:

Physik

Ich habe ein bisschen von meinem Nährboden mitgebracht. (Da ja weder du noch Jakob gestern den Löffel ablecken wolltet.) Möchtest du jetzt mal probieren? Ist ein neues Rezept. Nicht mehr so süß. Ich hab gestern gleich zwei Bleche voll gekocht (während mein Bruder dich vollgelabert hat. Natürlich weiß ich, dass er in einer Band spielt. Und ich sag dir eins: Die anderen Bandmitglieder sind genauso belämmert wie er!).
Auf jeden Fall habe ich den Nährboden mit Keksförmchen ausgestochen und eingefroren, bevor meine Mutter kam. Was willst du probieren? Ich habe Tannenbäume oder Halbmonde da.

Iiiiiiiiiiiiih, Alex! Du glaubst doch nicht, dass ich das esse!!!!!!

Wieso? Ist echt lecker und voller Energie. (Damit können wir gleich in Sport den Kasten um zwei Elemente aufstocken.) Koste doch mal! ☺

Das finde ich ekelhaft. Entschuldige, aber wirklich jetzt!!!

Da sind noch gar keine Maden drin!

Wieso Maden????????????????

Die Drosophila müssen doch irgendwo ihre Eier ablegen. Und rate mal, wo? – Natürlich in den Futterbrei.

Und dann fressen die ihre eigenen Kinder auf???

Natürlich nicht! Sie legen die Eier in den Futterbrei, und wenn die Maden schlüpfen, haben sie gleich was zu fressen.

Sie leben also wie die „Maden im Speck"?

Ja. So könnte man es sagen;-). Sie fressen und wachsen innerhalb weniger Tage von Eigröße (0,5 mm) bis zur Fliege (2,5 mm) und häuten sich in dieser Zeit zweimal.

Schön. Schön. Biete doch Zorro einen Futterbrei-Tannenbaum oder Halbmond an.

Au ja. Ich mach ein Päckchen fertig und schreibe drauf: Für Zorro. Mal sehen, wer sich angesprochen fühlt.

Deutsch

Ich fass es nicht. Martin und Tobias haben es beide gegessen. Nun wissen wir immer noch nicht, wer Zorro ist. So kann das nicht weitergehen, Alex. Hilfe!

Wir müssen uns bis morgen was einfallen lassen. Beide. Okay?

Spätestens!

Du kannst mich ja anrufen, wenn dir was einfällt. Was machst du denn heute Nachmittag (außer schrille Kostüme entwerfen)?

Hip-Hop. Und du?

Mittwochnachmittag

Bin gerade in der Gartenlaube bei meiner Oma und denke scharf nach, wie wir Zorro enttarnen können, aber mir fällt nichts ein. Habe vorhin ein Tagpfauenauge (*Nymphalis io*) befreit und hinter dem Regal zwei Spinnen entdeckt. Dabei handelte sich um eine gemeine Hausspinne und um eine *Hadrobunus grandis* –

auch „Opa Langbein" genannt. Sie hatten beide kein Netz. Logisch, denn Weberknechte spinnen keine Netze, sie haben nämlich keine Spinndrüsen. Dafür haben sie Stinkdrüsen – und jetzt halt dich fest, Em! Sie haben EINEN PENIS! Im Gegensatz zu den Webspinnen also ein echtes Geschlechtsteil. (Keine Angst, Em, der ist so klein, den sieht man nicht. Ich werd auch meiner Oma nichts davon erzählen, nicht, dass sie noch in Ohnmacht fällt.)

Vielleicht sollte ich an dieser Stelle endlich mal erwähnen, dass Spinnenweibchen viel besser als ihr Ruf sind. Es heißt doch, dass Spinnenweibchen nach der Paarung sofort ihre Männchen auffressen. Das trifft aber nur für die Wespenspinne *(Argiope bruennichi)* und die Schwarze Witwe zu (Mist, da fällt mir der lateinische Name gerade nicht ein). Viele Pärchen trennen sich nach der Paarung friedlich. Okay, generell ist so ein Spinnenmännchen nach der Paarung schon gefährdet, weil bei den Spinnen alles als Nahrung angesehen wird, was Beutegröße hat. Und weil die Spinnenmänner viel kleiner als die Weibchen sind, ist das schon mal grundsätzlich gefährlich. Manche werden nach der Paarung aber nur verletzt (angebissen – vielleicht sind die Weibchen ja danach besonders hungrig). Auf jeden Fall müssen sich die Männchen schon was ausdenken, um die Weibchen friedlich zu stimmen, damit sie sich ihnen überhaupt nähern können – was ja bei einer Paarung nicht schlecht ist. Die Männchen der Gartenkreuzspinne (Mist, da weiß ich den lateinischen Namen auch nicht und kann hier auch nicht googeln.), die Männchen jedenfalls weben einen Balzfaden, auf dem sie einen speziellen Rhythmus zupfen und klopfen – eine Art Liebeslied. Ist das nicht cool!?!?!? Andere Arten vollführen Balztänze oder geben einen Lockduft ab. (Lockduft ist uns ja auch aus der menschlichen Männerwelt bekannt. Ich sage nur *Axe* oder *Playboy*-Deo. **Müffel! Würg! Kotz!!**) Na ja, und dann gibt es noch Spinnenmännchen, die – wie die Kollegen der Gattung Laubenvögel – ihren Angebeteten Geschenke mitbringen. Etwa eine fette Fliege. Ist doch cool, Em, oder?

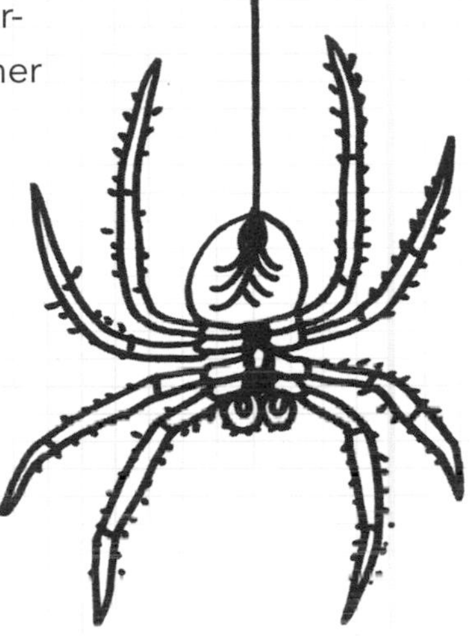

Weißt du was, ich ruf jetzt mal eben José an. Der weiß bestimmt, wie die Gartenkreuzspinne und die Schwarze Witwe auf Lateinisch heißen.

Geschichte

Alex, was du da über die Spinnen schreibst, ist echt disgusting! Ich werde nie wieder einen Weberknecht anfassen!!!! Aber die Gartenkreuzspinne mit dem Balzfaden, auf dem die Männchen Liebeslieder zupfen, ist echt cool. Kann man das hören? Ich meine, als gemeiner Mensch?

Das ist eine gute Frage, Em. Das weiß ich nicht. Da muss ich José fragen.

Trefft ihr euch mal wieder?

Ja klar. Aber wir wissen noch nicht, wann.

Und hast du dir was wegen der Zorros überlegt?

Ah shit. Das hab ich ganz vergessen. Du dir?

Ja, ich glaub, ich habe eine tolle Idee!

Na, dann sag schon!!!!!!!!!!!

Wie wäre es, wenn eine von uns laut „Zorro“ in die Klasse ruft. Und die andere scharf beobachtet, wer darauf reagiert. Das könnten wir nachher in Latein oder Ethik machen.

Okay. Du rufst. Ich gucke.

Nein. Du rufst. Ich gucke.

Wir können auch beide gucken.

Okay. Aber wer ruft? Nur eine sollte rufen.

Du rufst.

Wieso ich? Warum nicht du?

Ich mag nicht rufen.

Ich auch nicht. Wollen wir losen?

Ja. Gleich in der Pause, mit Schnick, Schnack, Schnuck.

Ethik

Na los, Em, ruf!

Ist gerade so still, da kann ich nicht rufen.

Doch, mach einfach! Ich huste gleich hinterher, dann fällt das nicht so auf.

Ich krieg das echt nicht hin!

Doch. Mach einfach. Wir tun dann so, als würdest du singen.

Du spinnst echt, das würde sogar in Musik auffallen.

Ist doch egal. Ich krieg gleich einen Lachkrampf. Nun mach schon! Es muss eh gemacht werden. Dann lieber jetzt als später. War schließlich deine Idee.

Na gut, aber guck mich nicht an, sonst kann ich das echt nicht.

Los, mach schon!!!!

Äääääh, wie peinlich. ALLE haben mich angeguckt. Besonders Frau Stöckel.

Hihi. Ja, echt krass – und dass sie dann über Helden im Allgemeinen ins Schwärmen kam. Wegen dir müssen wir jetzt für die nächste Stunde Robin Hood, Zorro und Gandhi googeln. 😟

Mist. Alle haben geguckt, außer Martin und Tobias.

Ist das nun verdächtig?

Keine Ahnung.

Auf jeden Fall bringt uns das nicht weiter.

Wollen wir die beiden gleich mal direkt drauf ansprechen?

Hatten wir ja schon mit Johan. Die streiten es bestimmt einfach ab.

Wie? Meinst du, Johan ist noch im Rennen?

Nein, glaube ich nicht, aber ich hab das Gefühl, dass Martin und Tobias nichts sagen werden.

Ich hab's! Wir schreiben jedem ein Zettelchen, auf dem steht: Hi Zorro, wir haben dich längst enttarnt. Gib dich zu erkennen, du Schuft! Und nun mach endlich ein Kreuz, damit wir wissen, wer deine Angebetete ist.

Hihi. Geil! Er kann ja auch ein Z anstelle des Kreuzes machen;-).

Au ja! Super Idee. Gleich in der Pause geben wir ihnen die Zettel. Und jetzt? Kleines Lehrerranking? Wir haben noch nicht für alle einen Spitznamen.

Cool! Ich fang an.

Deutsch – Frau Doktor Singbeil, „Doktor Schnarch":
2 langweilig, aber lieb
3 Ja, gäääähn! Sie könnte uns ja auch mal spannendere Bücher vorlesen.

Englisch – Frau Heimlich, unsere gute alte „Mrs Secret":
2 bisschen trottelig, aber fair
2 Witzig, weil sie selbst das „th" nicht aussprechen kann. (:-)

Mathe – Frau Wachholz (Wie findest du den Spitznamen „Der Apfel"?):
2 Ich mag ihre klare Art und dass sie nicht so viel labert.
4 Weil sie mir schon zweimal in diesem Schulhalbjahr den Tag mit einem unangekündigten Mathetest versaut hat. „Der Apfel" ist cool.

Geschichte – Frau Trabowski, „Der Trabi“:

4 Erzählt andauernd Geschichten, die keinen interessieren und beschwert sich am Ende der Stunde darüber, dass man wieder nichts geschafft hat.

4– Mich nervt, dass sie andauernd „Scht!“ macht und einen nicht ausreden lässt. Außerdem finde ich ihren schlüpferrosanen Nagellack unvorteilhaft.

Biologie – Herr Bu…???, unser Neuer, den kennen wir ja noch nicht so genau, aber nach dem ersten Eindruck, würde ich mal sagen:

1 kumpeliger Kerl mit echter Bio-Leidenschaft = beste Mischung

Auch eine 1. Lieb und sieht immer noch gut aus für sein Alter. Wir können ihn ja „Bubu“ nennen.

Bio-Ex – Herr Körber-Geyer, „Der Schwitzer“:

kriegt von mir noch eine 3-, aber nur, weil er mir leidtut.

5 Kein falsches Mitleid, Alex! Es gibt starke Deos mit 72 Stunden-Schutz!

Geografie – Herr Hunsemeyer (Spitzname???):

2– Sein Unterricht ist eigentlich ganz interessant.

2– Finde ich auch. Wie wäre der Spitzname „Der Leuchtturm“? Er trägt doch gern Ringelshirts zu seiner roten Birne; außerdem ist er echt ’ne Leuchte.

Kunst – Frau Schigulla (Spitzname???):

3 Ganz nett eigentlich, riecht mir aber zu stark nach Parfüm.

Die nennen wir „Die Schöne", weil sie echt schön ist, auch wie sie sich anzieht und schminkt. Und ich riech sie gern. Sie nimmt übrigens Opium von Yves Saint Laurent. Von mir kriegt sie eine 1, weil sie meine Lieblingslehrerin ist.

Ethik – Frau Stöckel (???):

2– Eigentlich ist der Unterricht ein bisschen lasch, aber sie lässt einen immer ausreden.

3– Ihre abrollbaren Gesundheitsschuhe sind unzumutbar! Du weißt ja, wie allergisch ich auf hässliche Schuhe reagiere. Wie wär der Spitzname „Pumps" oder noch besser: „Anti-Pumps"?

Physik – Herr Rottenheimer:

4 Ich finde, der könnte auch ohne Schüler auskommen – und er hat 'ne leicht fiese Ader.

4 Der geborene Alleinunterhalter. Wie findest du den Spitznamen „Herr Pappenheimer"? Weil er uns immer „Pappenheimer" nennt.

Chemie – Frau Kluft, „Das Gummibärchen":

2 Ihre spektakulären Versuche sind geil!

2 Ja. Sie könnte im Fernsehen auftreten. Cool auch, dass wir die Reste von den Versuchen manchmal aufessen dürfen.

Französisch – Madame Heesel:

4 Hat mir in der letzten Arbeit auch eine 4 gegeben, raubt mir den letzten Nerv! Als Spitzname tendiere ich zu: Madame Esel. Franzosen können doch kein H aussprechen, dann schadet es auch nicht, wenn wir ihr noch ein E wegnehmen.

4 Gibt zu viel Hausaufgaben auf. Der Spitzname ist wundervoll, Alex!!! ☺

Sport – Frau Radebrecher (???):

3 Ich würde lieber mal Fußball spielen als ewig Gerätetumen.

2 Ich finde ihre Figur toll. Außerdem ist sie graziös. Wollen wir sie „Die Gazelle“ nennen?

Musik – Frau Schruff:

3 Wie findest du als Spitzname „Madonna“? So blond und durchtrainiert, wie die ist.

4– Weil sie mir gesagt hat, ich könne nicht singen. „Madonna“ passt super für die alte Schrulle!

Latein – Doktor Wiechmann:

2 Nett. Mehr fällt mir zu ihm nicht ein.

2 Mir auch nicht.

Religion – Frau Sunkelig:

3 Langweiliges „Schnuckelchen“ – na, wie wäre der Spitzname?

3– Super!!

Schön, schön. Mach du die Auswertung, aber vorher lass dir gesagt sein, dass ich Frau Radebrecher alles andere als „graziös" finde. Ich würde sagen, „Knochenbrecherin" passt besser zu ihr. (Eine Gazelle ist schnell und graziös, Em, und das ist sie ja nun wirklich nicht! – Weißt du noch, wie ich mir letzten Herbst beinahe am Stufenbarren alle Knochen gebrochen hätte? – Ganz zu schweigen von dem gefährlichen Kastenspringen, das nur Carmen Spaß macht.)

Okay, dann warten wir noch mit dem Spitznamen für Frau Radebrecher, bis uns was Besseres einfällt. Also, hier die Auswertung. Ganz eindeutig: Der „Lehrkörper der Woche" ist der neue Biolehrer. Und der Schwitzer der „Heizkörper der Woche".

Heizkörper der Woche! Du bist heute echt genial, Em!

☺ ☺ ☺

Was heißt hier HEUTE?
PS: Wie heißt Bubu, also der Biolehrer, noch mal richtig?

Herr Busenhupf–Halterlos. ☺

Hilfe, jetzt geht das schon wieder los!!!!!!!!!! Also, ich habe gerade Steffi gefragt. Sie sagt, er heißt „Bunsterbrehm".

Müssen wir uns merken.

Wie alt schätzt du ihn?

28.

Dass man mit 28 noch so rot werden kann, ist ja ein Ding.

Sympathisch. Besonders beim Mann.

Ja. Besser als unser hart gekochter Pappenheimer …

Gleich klingelt's. Hören wir auf?

Englisch

Ahoi, ihr Holden! Wüssten gern, worüber ihr was wissen wolltet???!!! Wir haben nämlich keine Ahnung, was ihr meint. Oder meint ihr Zorro?
Martin & Tobias

Ja, ihr Hirnis. Sagt endlich, wer Zorro ist, und macht ein Kreuz, äh, ein Z an der richtigen Stelle.

Ihr meint den Rächer der Armen, den unerschrockenen Piratenjäger, Mitglied der legendären Strohhutbande? ZZZ

Kann es sein, dass ihr einen am Strohhut habt???

Das kann sein, aber keine Angst, wir retten euch vor dem Übel des Überflusses. ZZZ

Echt, die sind ja völlig daneben. Jetzt haben sie beide hinter deinem und meinem Namen ein Z ins Kästchen gemacht. Auch nicht schlecht. Aber wie wollen wir sie jetzt unter uns aufteilen?

Du kannst sie ALLE haben, liebe Em. GESCHENKT!!

Martin hat auf jeden Fall gerade die Nachricht an uns geschrieben, das haben wir mit eigenen Augen gesehen. Und die Schrift stimmt nicht mit der Schrift von dem ersten Bekennersatz überein. Fazit: Martin ist nicht Zorro!

Dann bleibt ja nur noch Tobias. Mann, ey, dieser Kinderkram! Ist mir, ehrlich gesagt, auch scheißegal!

Musik

Was ich die ganze Zeit schon fragen wollte: Wenn du die Männchen und die Weibchen bei deiner Fruchtfliegen-Population sortierst: Wie erkennst du sie?

Keine Angst, Em, die männliche *Drosophila melanogaster* hat keinen Penis (wie die *Hadrobunus grandis* – du erinnerst dich –, die „Weberknechte"). Sie haben ein dunkles Unterteil. Und wenn ich sie aussortiere, muss ich die gesamte Population im Glas betäuben. Willst du wissen, womit?

Natürlich, Alex!

Mit Äther. Den tropfe ich auf einen Wattebausch und halte ihn aufs Glas. Im Nu verlangsamt sich die Aktivität im Glas, und wenn alle am Boden liegen, schütte ich sie vorsichtig aus und

sortiere sie mit einem Pinsel, damit ich sie nicht verletze. Allerdings muss ich enorm aufpassen, dass ich die Äther getränkte Watte nicht zu lange aufs Glas halte, sonst sterben sie. Das sieht man daran, wenn ihre Beine angewinkelt sind. Dann ist es zu spät.

Gefährliche Angelegenheit.

Ja, aber das hat man schnell raus. Außerdem überleben immer welche. Und dann geht es ja auch ruck, zuck weiter mit der neuen Population. Aus einer Generation können bis zu 400 Nachkommen entspringen!!!

Iiiih! Hören wir jetzt auf?

Deutsch

Na, die hast du ja gerade ausgequetscht! Steffi und Nicole haben selbst nicht damit gerechnet, dass sie ihr Geheimnis so schnell preisgeben.

Echt Hammer, oder? Die haben bestimmt gedacht, dass sie uns damit noch stundenlang auf die Folter spannen können. Hä! Hä! Hatten wir doch recht, dass Tobias Zorro ist. Irgendwie shocking, oder?

Dass es Tobias ist, ist mir scheißegal. ICH bin geschockt, dass Tobias MICH gemeint hat!

Ich nicht. Hihi, bin froh, dass ich nicht diejenige bin. Hab ich dir doch gleich gesagt. Aber nein, kaum schreibt ein Hirni „ich finde dich süß“ in unser Heft, da denkst du gleich, ich bin gemeint, du Süße. ☺

Haha! 😕

Ach komm, sieh es mit Humor!

Ja, mach ich ja. Aber wie soll ich mich ihm gegenüber jetzt verhalten?

Ganz normal.

Dass ausgerechnet Steffi und Nicole genau in dem Moment gehört haben, wie Tobias in der Umkleidekabine zu Martin und Johan gesagt haben soll, dass er MICH süß findet, ist echt unfassbar!

Das finde ich eigentlich gar nicht unfassbar, aber dass anscheinend alle wussten, dass er Zorro ist, außer wir?????? Krass, oder?

Na ja, nicht alle. Aber die meisten von den Mädchen wussten es. Das muss sich schnell rumgesprochen haben. Verrückt, dass wir davon nichts erfahren haben.

Ich find ja auch krass, was Cecile meint. Ihre Theorie ist echt interessant:

1. dass Tobias neulich rausgefunden hat, dass wir uns im Volkspark treffen, und dann da mit Martin und seinen Fußballkumpels nicht einfach zufällig angetrabt kam, sondern mit Absicht.
2. Weil er MIR flüstern wollte, dass er DICH gut findet.
3. Mit der Absicht, dass ich es DIR verklickere.

Hilfe!!!!!!!!!!!!!!!!!! Wie heimtückisch! Direkt unheimlich!!!!!!!!!!!

Take it easy! Unsere Jungs sind halt noch nicht so reif, um uns direkt zu fragen. Das müssen wir ihnen nachsehen. Bin ich froh, wenn HDW wieder da ist!!! Ich hab zu nichts Lust ohne ihn.

Mach deine Gefühle bloß nicht von seiner Anwesenheit abhängig!

Englisch

Hoffentlich machen wir später mal eine Klassenfahrt nach London. Möchte ich gern mal hin. Da gibt es die schrillste Mode.

Ich möchte auch nach London, aber nicht unbedingt mit der Klasse. Am liebsten wohnen.

Du? *Why?*

Damit ich weit, weit weg von meiner Familie bin! New York City wäre noch besser. Dann könnte ich in Ruhe Populationen züchten.

Ich hab mal was von Kakerlaken gehört. Die soll es da massenhaft geben. Mein Onkel hat in Manhattan Freunde besucht, und die mussten abends immer den Müll in den Kühlschrank stellen, sonst wimmelte es am nächsten Morgen von Kakerlaken in der Küche.

Geil!

Na ja, ich könnte drauf verzichten.

Ich hätte gern eine Kakerlake für meine Käfersammlung. Übrigens ist die Kakerlake eine gemeine Küchenschabe *(Blattella orientalis)*. Und es gibt auch eine Deutsche Schabe. Die heißt dann: *Blattella germanica*;-).

If you don't listen to your English teacher you never won't make it to London or New York!
Liebe Leute, man munkelt ja von Eurem Heft schon in Kollegenkreisen. Nun kann ich bestätigen, dass es tatsächlich existiert. Lasst Euch eins gesagt sein: Ich finde ja generell gut, wenn sich die Jugend heutzutage noch schreibt (außer SMS) – und persönlich fände ich es natürlich noch besser, wenn der Austausch auf Englisch stattfände –, aber ich kann es trotzdem nicht dulden, dass Ihr Euch während meines Unterrichts über Kakerlaken unterhaltet. Also packt das Heft sofort ein und macht Euch darauf gefasst, dass ich das Heft sonst konfisziere, und zwar für immer, wenn ich Euch noch mal damit erwische!

Best regards, Eure Mrs Secret

PS: Der Spitzname, den ihr mir verpasst habt, ist cool. Und keine Angst, ich habe nur die letzten zwei Seiten gelesen, da ich noch zu einer Generation gehöre, die das Briefgeheimnis anerkennt (allerdings auch zu der Generation, die eine gewisse Leistung von ihren Schülern erwartet und die entsprechend honoriert – oder eben nicht).

Religion

Alex, mir steckt noch der Schock von Englisch in den Knochen.

Mir auch.

Ich schreib jetzt nix mehr.

Ich auch nicht.

Deutsch

Jippiiiiih! Rate mal, wer mir gestern gesimst hat?

Der Papst? ☺

HDW!!!

Was schreibt er denn?

Dass er mich TOTAL vermisst hat!

Wow!

Ja. Das kannst du laut sagen! In Frankreich, bei all den hübschen Französinnen – und mich hat er vermisst!!!!! Und dass er mir gleich simst, kaum dass er wieder da ist! Also, es war kurz nach Mitternacht. Der Mond schien durch mein Fenster. Ich war wohl gerade eingeschlafen, da höre ich mein Handy. – SMS von HDW! Ja, und dann haben wir hin und her gesimst und uns unheimlich gut verstanden. Er möchte gern mal sehen, wie ich tanze.

Vielleicht würde ihn das ja inspirieren und er fängt selber wieder damit an. Zurzeit skatet er viel, öfter vor der Nationalgalerie – und halt dich fest, Alex – er hatte mich schon länger „im Blick“. Ich ihn dann gefragt: „Wieso?“ Er: „Du siehst süß aus und kannst dich gut bewegen. Das mag ich.“ Ich dann: „Du siehst auch süß aus.“ – Puh, da haben mir ganz schön die Finger gezittert. – Fangen gleich wieder an zu zittern, wenn ich nur daran denke … Kannst du das noch lesen, Alex???

Ja, so eben.

Ich wollte auch wissen, wie die Stimmung in Frankreich war. – Cool. Nur die Mädels aus der 9a hätten genervt! (Alex, damit ist auch diese Simone Suppenhuhn gemeint!) Er hat mich dann gefragt, ob ich bei *Facebook* bin, chatten fände er bequemer als simsen. Ich hab mich dann rausgeredet, ich müsste jetzt noch was entwerfen. Konnte ihm doch nicht sagen, dass ich um die Zeit nicht mehr an den Computer darf. Er hat dann auch prompt nachgefragt, was ich entwerfe, und findet es geil, dass ich „Mode mache“. Ich würde bestimmt mal eine berühmte Designerin. Er findet auch TOTAL scharf, was für abgefahrene Klamotten ich immer anhab … ALEX – so ging das weiter bis halb zwei! Und es war kein Traum! Ich habe mich noch NIE so gut mit einem Jungen unterhalten. Er ist so feinfühlig. So lieb. So interessiert. So cool! Ich könnte heulen vor Glück!

Tu es nicht. Nicht hier im Unterricht. Und wie geht es jetzt weiter?

Er hat mich gefragt, ob ich denn nun mal Zeit hätte. – Ja, klar! – Und dann haben wir überlegt, was wir machen könnten. Auf dem Kreuzberg chillen, schwimmen gehen oder Kino? – Kino ist cool. Er kann aber erst Samstag, weil er unter der Woche tierisch busy ist.

Du gehst jetzt echt am Wochenende
mit ihm ins Kino?

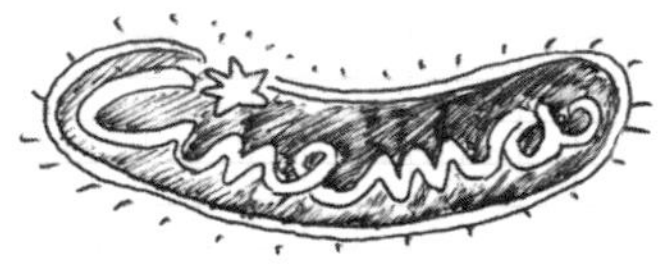

Ja. Ist doch geil, oder?

Ich hätte Kreuzberg-Chillen bevorzugt.

Warum?

Ich meine, im Kino, da ist es dunkel und man redet normalerweise nicht miteinander!!! So kann man sich doch schlecht kennenlernen.

Man kann sich auch ohne Worte kennenlernen, Alex. Mach dir keine Sorgen. Ich hab noch nicht zugesagt, lass ihn ein bisschen zappeln. (Wegen der psychologischen Studie – du erinnerst dich?? – Stichwort: Eroberungstrieb.) Hab gesimst: „Muss schauen, ob ich es Samstag einrichten kann."

Wie lange lässt du ihn zappeln? Zwei oder drei Jahre?

Sehr *witzig*! Mal sehen, vielleicht bis heute Abend. SPÄTESTENS übermorgen teile ich ihm mit, dass ich natürlich Samstag Zeit habe.

Ach so. Na ja. Was soll ich dazu sagen? Findest du nicht, dass es hier komisch riecht? Irgendwie nach Pups und Nagellackentferner. Oder bei dir da drüben nicht?

Ich riech nichts.

Mach trotzdem bitte mal das Fenster auf!

Nein, ich warte, bis es bei Doktor Schnarch angekommen ist und sie dann wieder so besorgt die Stirn runzelt, uns über die Brille hinweg anguckt und sagt: Kinder, wie riecht das denn schon wieder hier? Macht doch bitte mal die Fenster auf.

Das kann ich dir auch sagen, liebe Em, sogar aufschreiben, wenn du nur das Fenster aufmachst. Wirklich, ich krieg hier schon keine Luft mehr!!!

DU BIST EIN GANZ GEMEINES STINKTIER!!!

Ich hab nicht gepupst!!!

Em, bitte!!!

Siehst du, mit ein bisschen Geduld sind wir doch noch in den „Schnarch'schen Spruchgenuss" gekommen. ☺

Em, ich hasse dich!

Französisch

Boah, das war ja gerade krass! Eine richtige Razzia!

Gut, dass du nicht in der Raucherecke warst!

Gut, dass HDW entkommen konnte! Alle unter 18, die beim Rauchen erwischt worden sind, kriegen jetzt einen Brief nach Hause.

Ich glaub, ich muss jetzt aufpassen. Hab nämlich gerade nicht mitgekriegt, was wir machen sollen. Du?

Ja, ist ganz einfach: Du musst die richtige Form einsetzen: *Quelle* oder *Quels* oder *Quel* oder *Quelles.*

Danke schön, Frau Oberschlau. Geht's auch ein bisschen genauer, evtl. gleich mit Lösungsvorschlag???

Mann, Alex, das kriegst du selber hin. Der erste Satz heißt: *Quelle* chanson aimes-tu?

Was für ein Lied ich liebe?

Exactemente;-))). Und weißt du auch, was die Redewendung bedeutet: J'en ai marre???

Noch nicht, aber du sagst es mir bestimmt gleich …

Kreuz an:

1. Ich bin genervt von dir.
2. Meine Nase ist verstopft.
3. Du regst mich auf.
4. Ich hab die Nase voll.

Okay, Nummer 4. Aber 1 und 3 trifft auch zu!!!!!!!!!!

Mathe

HILFE, Alex. Ich hab immer noch keinen blassen Schimmer, was ich anziehen soll, wenn ich mit HDW ins Kino gehe! Aber wenigstens wissen wir jetzt, was wir gucken und wo. Und wann, da lasse ich ihn noch ein bisschen zappeln.

Na, das ist ja auch schon mal was. Und???

Er hat mich letzte Nacht gefragt, worauf ich stehe: Action, Thriller, Horror oder Schnulze? Hab mich für Horror entschieden und dann haben wir uns ganz zärtlich „Gute Nacht“ gesimst.

Horror? Bist du des Wahnsinns? Du kannst doch nicht mal mit ansehen, wenn ich einen toten Käfer aufspieße, wie willst du dann einen Horrorfilm überleben? Warum nicht „Action“?

Quatsch. Action lenkt doch total ab!

Horror etwa nicht?

Ich bitte dich, Alex! Bei Horror kann er mich beschützen, wenn ich nicht hingucken kann.

Ach so.

Was heißt hier ach so? Was würdest du dir denn anschauen?

Schnulze natürlich!

AUF KEINEN FALL! Schnulze wäre doch totpeinlich. Stell dir mal vor, da knutschen die andauernd vor dir auf der Leinwand rum oder, noch schlimmer: Sie schlafen miteinander, vor deinen Augen!!!

Ja, das passiert öfter in einem Film.

Nee, wirklich, Liebesfilme kann man sich angucken, wenn man schon eine längere Beziehung hat. Was ja leider bei mir noch nie der Fall war!

Ich weiß gar nicht, warum du so scharf auf eine feste Beziehung bist?

Ach, Alex. Es ist schön, wenn man einen Freund hat, der immer für einen da ist und mit dem man alles unternimmt. Und es ist auch cool, wenn man Schluss machen kann.

Häh? Um Schluss zu machen, braucht man keine längere Beziehung. Und Schluss machen zu können ist ja nicht gerade der schönste Teil einer Beziehung, oder willst du nur einen Freund, weil du dann mit ihm Schluss machen kannst?

Natürlich nicht nur!!! Aber so sammelt man verschiedene Erfahrungen, die man fürs Leben braucht.

Also der Spruch hätte jetzt von meiner Oma sein können – oder besser: von meiner Uroma. Manchmal verstehe ich dich nicht, Em. Eigentlich immer, wenn es um Jungs geht.

Musst du auch nicht. Apropos Jungs: Wie wäre ein kleines Ranking (nach dem Motto: Ein Ranking am Morgen vertreibt Kummer und Sorgen)?

Prima. Also:

Tobias:	2	ganz witzig, schlaksig, auch verschmitzt
	3+	Ach ja? Musst du mir noch erzählen. Ich find ihn ja schon länger ganz amüsant. Riecht auch immer frisch, nach Muttis Weichspüler.
Martin:	2+	Viel selbstbewusster, seit er gewachsen ist, und locker drauf. War echt lustig, wie er Donnerstagnachmittag mit Tobias aus dem Nichts aufgetaucht ist.
	2+	Hat auch mehr Muskeln bekommen, im Ganzen würde ich sagen: knackig wie seine Käsebrötchen.
Stefan:	3–	ohne Kommentar
	4	langweilig
Dennis:	5	Eigentlich können wir Dennis und Christian ab nächstes Mal streichen, um keine Dauerdeppenorden verleihen zu müssen. Was meinst du?
	5	Ganz deiner Meinung!
Christian:	4	siehe Dennis
	4–	ohne Kommentar

Rico: 5 Na, ohne Dennis und Christian hat er beste Chancen, zum Depp der Woche aufzurücken.

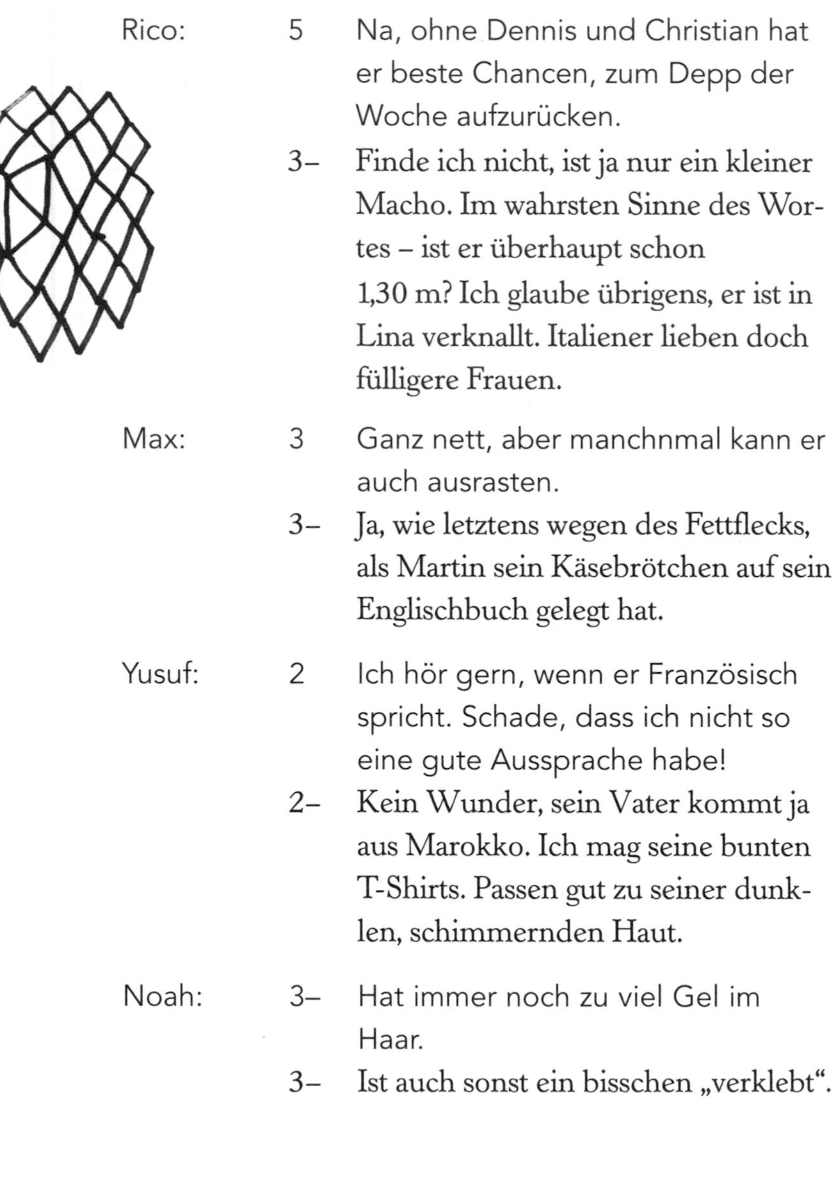

3– Finde ich nicht, ist ja nur ein kleiner Macho. Im wahrsten Sinne des Wortes – ist er überhaupt schon 1,30 m? Ich glaube übrigens, er ist in Lina verknallt. Italiener lieben doch fülligere Frauen.

Max: 3 Ganz nett, aber manchnmal kann er auch ausrasten.

3– Ja, wie letztens wegen des Fettflecks, als Martin sein Käsebrötchen auf sein Englischbuch gelegt hat.

Yusuf: 2 Ich hör gern, wenn er Französisch spricht. Schade, dass ich nicht so eine gute Aussprache habe!

2– Kein Wunder, sein Vater kommt ja aus Marokko. Ich mag seine bunten T-Shirts. Passen gut zu seiner dunklen, schimmernden Haut.

Noah: 3– Hat immer noch zu viel Gel im Haar.

3– Ist auch sonst ein bisschen „verklebt“.

Johan:	2	Ich mag seine Offenheit. Sagt immer, was er denkt.
	2–	Hat eine schöne, tiefe Stimme, bisschen zu brav angezogen manchmal.

Und damit wäre diesmal wieder Martin „Junge der Woche“ und Rico der Depp (fast ein bisschen unfair, finde ich, weil er einen glatten Vierer-Durchschnitt hat. Die Deppen vor ihm hatten einen weitaus schlechteren Notendurchschnitt).

Musik

Ist das ätzend, diese ganze Theorie. Ich finde, in Musik sollte man auch Musik spielen oder wenigstens singen. Wen interessiert denn dieser ganze Käse, ob sich eine Ballade in Frankreich schon im 14. Jahrhundert verbreitet hat und ob Streichinstrumente in Europa erst seit dem Mittelalter bekannt sind.

Du willst singen, Alex?

Warum nicht. Á cappellas wäre doch cool.

Das heißt a cappella, Alex. Das ist Italienisch und nicht Französisch.

Hauptsache, du weißt, was ich meine. Soll ich das mal vorschlagen?

Lieber nicht. Ich singe nicht so gern. Jedenfalls nicht vor unserer Klasse. Gib mir lieber mal einen Tipp, was ich nun fürs Kino anziehen soll! Du weißt, andere zu stylen ist kein Thema, aber wenn es um mich geht, brauche ich Hilfe.

Ich würde mich auf keinen Fall aufdonnern.

Natürlich nicht! Aber was anziehen?

Warum nicht einfach eine Jeans und das orange Top? Das steht dir doch so gut. Dann noch ein bisschen Fummel dran – und fertig.

Was meinst du denn mit „Fummel"???

Na, eben irgendwelche Assesoars.

Das heißt: Accessoires, Alex, und ist Französisch (auf Deutsch: Zubehörteile).

Sag ich doch: Fummel.

Nein, Alex, ein „Fummel“ ist ein leichtes, billiges – eventuell sogar durchsichtiges – Kleid! Aber warte mal. Ich hab tatsächlich einige Fummel und könnte die über einer schwarzen Leggins anziehen, vielleicht das Beige mit den Rosenrüschen oder das Hellblaue mit den Schnüren am Hals? Was meinst du?

Ja. Bestimmt nicht schlecht. Probier doch mal aus. Wenn du willst, können wir heute Nachmittag auch skypen. Dann kannst du mir gleich vorführen, was du meinst.

Ja. Cool! So zwischen drei und vier? Danach wollte ich noch zum Hip-Hop.

Ja. Gut. In welches Kino geht ihr denn nun?

In irgendeins in Friedrichshain. HDW arbeitet da, verkauft nachmittags Karten. Ist das nicht cool, dass er schon selber Geld verdient?
Er hat gesimst: „Ich lad dich ein, Süße.“

Das ist echt nett. Wobei ich, ehrlich gesagt, dieses ewige „Süße“ ein bisschen *too much* finde.

Ich nicht. Ich find’s total süß. Hoffentlich kriege ich bis dahin nicht noch frische Pickel.

Vermeide Stress, iss genügend Obst und Gemüse und geh früh schlafen. Dann traut sich kein Pickel raus. ☺

JA, MAMA.

Geografie

Sag mal, wie geht es denn nun mit José weiter? Und mit Zorro? Der guckt dich echt schmachtend an.

Stimmt ja gar nicht!

Habe ich genau gesehen.

Liebe Em. Damit du es endlich kapierst: T. K. ist nicht mein Typ.

Aber José?

NEIN!

Ich spüre doch, dass da was im Busch ist.

In welchem Busch?

Alex, bist du etwa schon so was von VERKNALLT, dass du gar nicht mehr merkst, dass du verknallt bist?

Häh? Echt, Em, ich glaub, du brauchst dringend eine Dosis O_2.

Ja, aber lieber in Form einer SMS von HDW.

Hääää???

Wir sind beide bei O_2.

Moment. Das muss ich unbedingt mitkriegen. Diese Abholzung des Regenwaldes ist ja echt so was von ätzend!!!

Du willst ja nur von deiner Verknalltheit ablenken.

Du hast einen KNALL!! Echt mal, Em. Wir können doch nicht zulassen, dass der Regenwald wirklich abgeholzt wird!

Vielleicht haben HDW oder José ja eine Idee, wie man den Regenwald retten kann. Der Leuchtturm hat auch gerade gesagt, jeder muss mithelfen: nicht so viel Fleisch essen (wegen Rinderzucht muss Wald weichen) oder kein Regenwaldholz kaufen.

Meine Oma hat zum 65. Geburtstag von ihren Freunden einen Mahagonitisch geschenkt bekommen, für ihre Terrasse. Sie hat das Geschenk nicht angenommen,

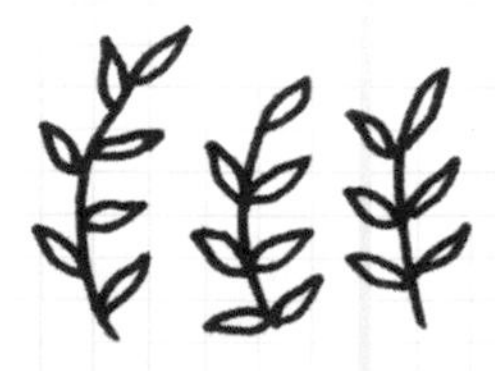

weil Mahagoni Regenwaldholz ist. Das fand ich richtig gut. Sie hat ihre Freunde gebeten, den Tisch umzutauschen. Jetzt hat sie einen Buchentisch auf ihrer Terrasse.

Das ist geil! Los, melde dich und sag es. Das bringt dir 'ne glatte 2. Mindestens! Der Leuchtturm steht doch total auf mündliche Mitarbeit. Und deine Oma ist sowieso rattenscharf! Schon allein wie sie sich kleidet, nicht so in Rentner-Beige und Dauergrau. Letztes Mal, als ich sie bei euch gesehen habe, hatte sie eine enge, hellblaue Cordhose mit einem langen, stachelbeerfarbenen Top an, das ein bisschen aussah wie ein Kleid. Darüber einen dunkelblauen Gürtel und auf dem Kopf einen dunkelblauen Strohhut. Orangefarbener Lippenstift dazu und Ballerina-ähnliche Schuhe, aber zum Schnüren. Echt cool!

Ja, Oma Traudel ist *knorke*. Aber deine Oma Biggi ist ja auch total cool mit ihrer Gemüsezucht auf dem Balkon.

Trotzdem: Lass uns José jetzt nicht gleich wieder unter den Teppich kehren.

Was soll das denn heißen?

Erzähl was von ihm. Ich habe den Eindruck, du verheimlichst mir was.

Was soll ich denn erzählen?

Zum Beispiel: Wann ihr euch das nächste Mal trefft?

Wissen wir noch nicht.

Wie hast du eigentlich herausgefunden, dass er auch so ein Bio-Fan ist wie du?

Weiß ich nicht mehr.

Alexandra, du raubst mir noch mal den Verstand!!!!

Warum sollte ich, hab selbst genug davon. 🙂

Stuuuuuuurkopf!

Ach, das ist doch schon lange her! Beim Bäcker. Er hat eine Salzbrezel gekauft, ich hab eine Salzbrezel gekauft …

… und …???

Seitdem leben wir glücklich und zufrieden, bis an unser Lebensende.

Alex, du bist echt WITZIG, weißt du das?

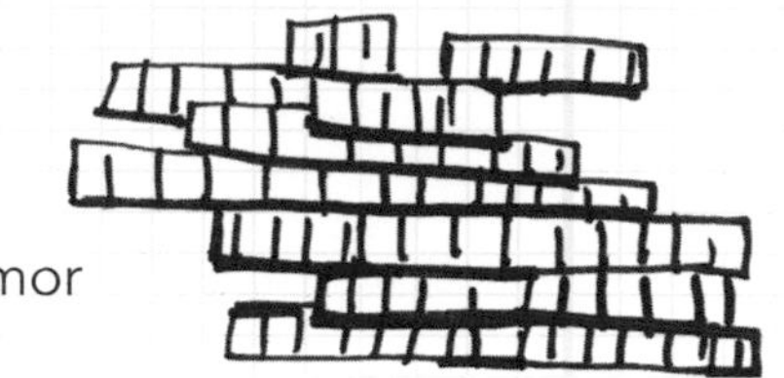

Ja. Danke. Ich finde, ein bisschen Humor kann jeder gebrauchen, oder?

Dass du ihn beim Bäcker getroffen hast, hast du mir schon erzählt.

Na, dann weißt du ja schon alles.

Aber man kauft sich doch keine Brezel und geht dann anschließend mikroskopieren.

Wir schon. ☺

Okay, Alex, ich gebe auf.

Man sollte nie aufgeben, Em. Außerdem dachte ich, ich hätte dir schon alles erzählt – dabei gibt es gar nichts zu erzählen. Wir haben die Brezeln drinnen essen müssen, weil es draußen anfing zu hageln.

UND DANN????

Er hat gesagt: Guck mal, sieht aus, als regnet es Salzkörnchen. Und ich hab gesagt: Ja, wollen wir unsere Brezeln in den Salz-Hagel halten? Mal gucken, was passiert. Na ja, dann haben wir unsere Brezeln in den Salz-Hagel gehalten und haben eiskalte Finger gekriegt. Irgendwann sind wir von „Hagel" auf „Herbarien" gekommen.

Logisch, weil beides mit „H“ anfängt.

Na ja, da hab ich das erste Mal von meiner vertrockneten Fledermaus erzählt … aber das weißt du doch alles, Em!

Nur, dass er neulich bei dir war und sich die Fledermaus und den Mistkäfer angeguckt hat.

BLATTHORNkäfer *(Scarabaeidae)*, Em, nicht Mistkäfer *(Geotrupidae)*.

Sorry! Sorry! Aber wie ging es denn mit der Brezelgeschichte weiter?

Wir haben uns dann noch ein Weilchen über Kleinstlebewesen unterhalten, die immer kleiner und kleiner wurden, bis es nur noch ein Flohsprung zum Mikroskopieren war. Da habe ich dann erfahren, dass sein Vater in einem Forschungslabor an der FU (Freie Universität) arbeitet.

Wie romantisch!

Wenn ich dir schon haarklein alle Einzelheiten auftische, dann kannst du dir wenigstens deine ironischen Bemerkungen sparen!

Das war doch nicht ironisch! Ich meine es wirklich! Ich hab euch echt gerade vor mir gesehen, wie ihr eure Brezeln in den Hagel haltet. Das finde ich total romantisch! Auch, wenn ein Paar im Regen steht. In Filmen ist das oft so. Sie werden ganz nass und rücken näher aneinander, lächeln sich an, echt herzerweichend.

SO WAR ES BEI UNS ABER NICHT!

Was nicht ist, kann ja noch werden.

Bei uns sind die Brezeln aufgeweicht, wenn du es genau wissen willst, und zwar nicht von dem Hagel (zu kalt), aber von der feuchten Luft. Und jetzt möchte ich wieder am Unterricht teilnehmen, liebste Em. ☺

Na gut. Regenwald ist auch spannend. Verrückt, wenn man sich vorstellt, dass zwei Drittel aller Tiere im Regenwald im Kronendach leben – auf dem Hochbett, sozusagen. Krass, oder?

Ja. Nicht nur, dass zwei Drittel aller Tiere dort im Kronendach leben, sondern drei Viertel ALLER Tier- und Pflanzenarten kommen in den tropischen Regen-

wäldern vor!!!! Und nur weil so viele Idioten ständig Hamburger mampfen, wird noch mehr Regenwald abgeholzt. **Ich hasse McDoof!!!!!!**

Ist ja schon gut, Alex. CALM DOWN!

Physik

Ich brauch jetzt dringend eine Schreibpause, Em! Außerdem will ich aufpassen.

Deutsch

Jetzt hab ich in Physik aufgepasst und hab trotzdem nichts verstanden. Logische Schlussfolgerung: Da hätte ich auch schreiben können. ☺

Ich erklär's dir später. Hoffentlich schlafe ich bei Doktor Schnarch jetzt nicht ein.

Ich halte dich mit Schreiben wach.

Rrrrrrrrtipüüüh … rrrrrrtipüüüh …

Aufwachen, Alex, hier kommt eine Frage: Willst du nicht mit José mit ins Kino kommen?

Nein. Warum?

Rrrrrrrrtipüüüh … rrrrrrtipüüüh …

Aufwachen, Em, hier kommt eine Antwort: Wir wollen seinen Vater im Forschungslabor besuchen.
PS: Wieso sollte ich mit José ins Kino gehen?

Cool! Was forscht der denn?
PS: Weil alle Leute ab und zu ins Kino gehen, liebste Alex.

Über den Schwänzeltanz der Bienen.
PS: Ich bin ja nicht „alle Leute".

„Schwänzeltanz"? Das hört sich aber versaut an, Alex.

Em, du witterst überall gleich was Versautes. Dabei ist das echt nicht versaut. Es geht um einen Tanz, über den sich Bienen bei der Futtersuche austauschen. Noch ist aber nicht erforscht, wie. Nun hat Josés Vater mit anderen Wissenschaftlern eine Roboterbiene gebaut. Wie die funktioniert, weiß ich auch noch nicht.

Aber ist das nicht total irre? EINE ROBOTERBIENE? Stell dir das mal vor!!

Kann ich nicht. Biep, biep. Oder vielmehr: Summ, summ.

Wollen wir uns in der Pause ein Kuss-Brötchen holen? Ich brauch jetzt was Süßes, sonst schaff ich Sport nicht. Bestimmt müssen wir heute wieder über den dämlichen Kasten springen.

Ja, Sport ist Mord.

Mathe

Ich fass es nicht! Da lege ich gerade den Dickmann ins Brötchen, drück zu und in dem Moment steht HDW vor mir und neben mir am Tresen diese blonde Push-up-Tussi aus der 9a.

Simone Suppenhuhn.

Ja, genau die. Hast du doch gesehen, bevor du rausgegangen bist, oder?

Ja, habe ich gesehen, auch wie sie HDW angeschmachtet hat. Aber ich hab nicht mehr mitgekriegt, was er zu dir gesagt hat.

HDW hat mich gefragt: „Na, Babe, wie sieht es nun aus mit Kino am Wochenende?“ Daraufhin hab ich gleich gesagt: „Gut.“

Ich dachte, du wolltest ihn mindestens bis morgen zappeln lassen.

Aber doch nicht, wenn er mich PERSÖNLICH so süß fragt! Und schon gar nicht, wenn die blöde Pute aus der 9a ihn im Visier hat. Hab dir noch gar nicht erzählt, dass ich mir letztens ihr *Facebook*-Profil angeguckt habe. Bei Beziehungsstatus steht: Single. Und du glaubst gar nicht, wie ihre Fotos aussehen: immer nur am Posen. Echt too much! Räkelt sich da mit einer Freundin an so einer Fahnenstange auf irgendeinem Fußballplatz wie bei einem Poledance. Beide in Stay-ups!!!

Häh? Was ist das denn?

Stay-ups oder *Poledance*?

Hey, Mädels, wie seid ihr denn drauf? Wollt ihr euch als Stripperinnen ausbilden lassen, oder was????? Erzählt mal, wann geht's denn los? Wollen eure Show nicht verpassen. Kicher, kicher (Steffi & Nicole)

Das gibt's doch nicht. Die schon wieder. Em, du musst besser aufpassen!!! Steffi hat echt Stielaugen. Die glotzt voll aufs Heft. So was von daneben! Ich lass wieder über die Jungs weitergeben. Müssen echt aufpassen, dass der Apfel nichts merkt. Und dann erklär mal, was du gemeint hast. Ich kenn beides nicht.

Ja, total der Kack, dass die immer mal wieder was mitkriegen. Und ausgerechnet das! Lass uns die beiden die ganze Stunde ignorieren, ja? Der Apfel ist so an der Tafel beschäftigt, der merkt schon nichts. (Ist dir schon mal aufgefallen, dass Frau Wachholz die ganze Stunde vor der Tafel in Bewegung ist und sich nie setzt?)
Also: *Stay-ups* sind halterlose Strümpfe. Die blöde Pute hatte schwarze mit Spitze an. Und *Poledance* ist dieser Nuttentanz an der Stange. Hast du bestimmt schon mal im Fernsehen gesehen, oder?

Ist ja widerlich! – Dann ist sie ja eine „Push-up-Poser-Tussi", eine PuPT. Am besten, wir nennen sie gleich „Pupsi".

PS: Ja, ist mir schon aufgefallen. Vielleicht will sie nicht so nah bei ihrem Apfel sein, sonst isst sie ihn aus Versehen noch.

Pupsi ist wundervoll!!!!!!!!!!! Aber genug gepupst. Um wieder aufs Thema zurückzukommen: Dass er „Babe" zu mir sagt, ist doch todescharmant, oder?

PS: Ich glaube, der Apfel turnt deshalb die ganze Stunde vor der Tafel rum, weil das mehr Kalorien verbraucht.

Ich mag keine Typen, die einen „Babe“ nennen.

Danke schön für deine Meinung, die ich gar nicht wissen wollte! Ich hab genug für heute. Steck du das Heft ein.

Entschuldige, hab's echt nicht böse gemeint. Ich will dich nur davor bewahren, dass du wieder ins Unglück rennst.

INS UNGLÜCK RENNEN? ICH???!!! Wann, bitte schön, bin ich schon mal ins Unglück gerannt? Außerdem kann es gar kein Unglück mit HDW geben! Du gönnst mir mein Glück nicht! Alex, du bist eifersüchtig. Gib's zu!

Quatsch! Doch nicht auf HDW!

Dann sei doch mal ehrlich, Alex. Ist das nicht wundervoll, dass er mich so direkt angesprochen und mir sogar hinterhergeguckt hat, als ich rausgegangen bin? Du hast es doch selbst gesehen.

Das ist ja wohl das Mindeste, was man tut, wenn man jemanden „über alles liebt“!

Biologie

Bubu ist echt süß, findest du nicht? Lass uns später weiterschreiben, ich möchte jetzt aufpassen.

Nanu, Alex. Bahnt sich da was an? Zeigst du etwa Gefühle für Lehrkörper? Sag mir bitte schnell noch, was ein *Procyt* ist, bevor sich deine Lehrkörpergefühle entfalten. Und erklär mal eben, WO die Energie für die Zelle produziert wird. Im Zellkern? – Ich muss ja noch meine Hausaufgaben vom letzten Mal abgeben.

Ein *Procyt* ist ein Zelltyp OHNE Zellkern. Und die Energie für die Zelle wird NICHT IM ZELLKERN – Nein!!! Niemals!!! –, sondern von den Mitochondrien produziert. Merke: Die Mitochondrien liefern der Zelle Energie!

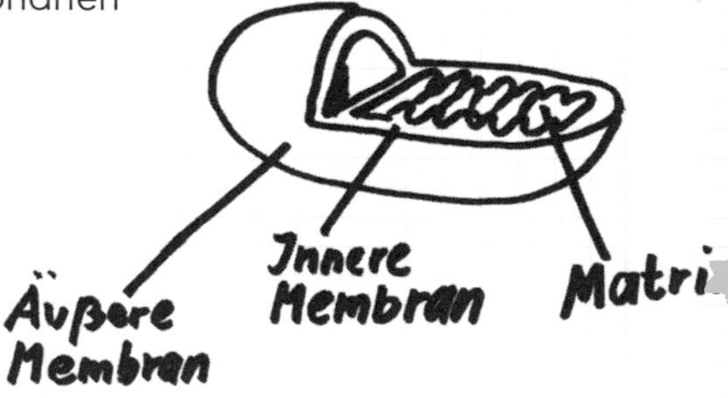

Was sind denn noch mal Mitochondrien?

Zu Hause, auf meinem Bett

Mist, jetzt hab ich vergessen, dir das Heft mitzugeben! Habe gerade versucht, dich anzurufen, aber du

bist nicht erreichbar. Sitzt du auf dem Klo, oder was?
Stell dir vor, vorhin in der U-Bahn hat sich der Sessel neben mich gesetzt. Erst haben wir uns über Mitochondrien unterhalten, das hat sich angehört wie eine schlimme Krankheit, die Leute haben schon geguckt. Dann mussten wir lachen. Anscheinend weiß sie auch nicht so genau, was Mitochondrien sind. Und dann hat sie mich gefragt, woher ich meinen Rock habe. „Selbst genäht", habe ich gesagt. Da hat sie ganz große Augen gekriegt, weil ich selber nähe. Stell dir vor, sie kann nicht mal häkeln und hat auch noch nie eine Stricknadel in der Hand gehabt. Traurig, oder? Ehrlich gesagt, war sie eigentlich ganz nett. Überhaupt nicht arrogant. Und als sie ausstieg, hat sie mir zugerufen: „Ich muss gleich zum Arzt. Hoffentlich müssen meine Mitochondrien nicht rausoperiert werden." Und ich hab ihr hinterhergerufen: „Ja, hoffentlich nicht. Das macht man nämlich in Berlin ohne Narkose!"

Echt, das war voll witzig! Ich hätte nie gedacht, dass man mit ihr so rumblödeln kann. Ich dachte immer, sie wäre viel zu schüchtern und zu fein dafür.
Wahrscheinlich findest du nicht so cool, was wir mit den Mitochondrien gemacht haben. Immerhin nicht vermenschlicht. ☺
Ich weiß ja, Alex, ich bin ein hoffnungsloser Fall, jedenfalls in Bio. Und eigentlich verstehe ich gar nicht, wieso meine beste Freundin in Bio so ein Hecht ist. Alex –

warum bist du so ein Bio-Hecht, na, sag schon? Dabei könnte man ganz unkompliziert leben, wenn es kein Bio und kein Chemie und kein Mathe geben würde (ganz zu schweigen von Physik).

Später

Alex, HILFE!!!! Habe gerade erfahren, dass wir am Wochenende nach Braunschweig fahren. Meine Tante Elke wird 40! Sie macht am Samstag eine Spontan-Party und wir fahren schon Freitag gleich nach der Schule hin. Und ich muss mit! ICH WILL ABER NICHT MIT, ICH WILL MIT HDW INS KINO!! Habe gerade meinen Eltern verklickert, dass es unmenschlich ist, mein Wochenende zu bestimmen! Schließlich leben wir in einer Demokratie! Ich habe Mitspracherecht und ich sage: Ich will nicht mit! Ich habe ihnen sogar gesagt, warum nicht. Aber das scheint sie nicht zu stören. Echt, so was von gefühlskalt!

MUSS MICH JETZT UNBEDINGT ERST MAL ABREAGIEREN!

Drei Stunden später

Okay. War gerade beim Hip-Hop. (Cem war da – der süße Ältere, der auch eigene Auftritte hat. Zum nächsten müssen wir unbedingt mal hin.) Jetzt geht es mir besser. Viel besser. Es ist nämlich einiges passiert in den letzten

drei Stunden. Ich sag's gleich vorweg: Wir haben eine Lösung gefunden bzw. meine kleine Schwester hat eine Lösung gefunden. Man glaubt es kaum, dass ausgerechnet eine Fünfjährige die beste Idee hat.
Also: Hip-Hop hat total gutgetan, da musste ich eine Stunde mal nicht an das ganze Chaos um mich herum denken. Hinterher habe ich mich fast damit abgefunden, dass ich mit nach Braunschweig muss. Meine Tante Elke kann ich nicht im Stich lassen, sie ist meine Lieblingstante. (Okay, sie ist die einzige Tante, die ich habe, aber ich liebe sie wirklich!) So weit – so nicht gut.
Zu Hause meine maulende Mutter immer noch sauer, weil ich angeblich so ein Theater gemacht hätte und Bla und Keks, nur weil ich geäußert habe, dass ich lieber mit HDW ins Kino will. – Hin und her und her und hin – das erspar ich dir jetzt, Alex. Plötzlich sagt Luise:
Geh doch Mittwoch.
Ich: Wieso Mittwoch?
Sie: Mittwoch ist ein *söner* Tag.

Zuerst habe ich sie gar nicht ernst genommen, sie hat es im Moment sowieso mit Wochentagen und Monaten – haben sie wohl gerade im Kindergarten gelernt. Sie hat es dann noch ein paarmal wiederholt (wahrscheinlich ist „Mittwoch" gerade ihr Lieblingstag). Und dabei hat sie mich so süß angelächelt. Das hat schon mal die ganze Situation entschärft. Und dann dachte ich: Okay, warum nicht Mittwoch? Mittwoch ist ein cooler Tag, um ins Kino zu gehen, aber noch besser wäre Montag.

Ich also HDW gesimst: „Kann Samstag nicht. Wie wäre es mit Montag?“
Er sofort zurückgesimst: „Sorry, Süße, Montag bin ich leider nicht available und Dienstag hab ich Training. Aber Mittwoch wär cool!“
Ich: „O.k. Mittwoch ist geblockt.“
PS: Alex, du hast richtig gelesen: Er hat wieder **Süße** geschrieben … Oooooaaaaaahhh!!
Ich habe dann noch gefragt, wo und wann wir uns treffen wollen. Echt, ganz lässig, als wären wir schon zusammen und man fragt mal eben, wo man sich trifft.
Alex, ich sag dir, ich hab Götterspeise in den Beinen, jetzt schon, wenn ich nur dran denke! Und Hilfe, was ziehe ich bloß an? Das Wetter soll ja so wechselhaft bleiben. Wenn es warm ist, könnte ich meine Schnürstiefeletten (offen) mit einer schwarzen Leggins, dem orangen Neopren-Rock (mit durchgehendem Reißverschluss) und ein schwarzes Top anziehen. Soll ich die Haare offen lassen, zusammenbinden oder hochstecken?
Ich muss das jetzt mal ausprobieren, vor dem Spiegel.

Später

Puh, ich bin echt fertig. Weiß immer noch nicht, was ich anziehen soll. Am besten wäre es, es regnet, dann könnte ich meine geilen gelben Gummistiefel mit Absatz anziehen. Aber bei Regen wellen sich meine Haare so blöd. Nein, lieber kein Regen.

Später

Ich hab immer noch keinen blassen Schimmer, was ich anziehen soll! Um mich zu inspirieren, zeichne ich hier die ganze Zeit rum. Bekleide „die schrägen Figuren mit schrägen Frisuren“. Hab gerade drei neue Frisuren erfunden, für schulterlanges bis langes Haar:

1. Mittelscheitel und auf beiden Seiten Affenschaukeln in denen Topflappen hängen. (Affenschaukeln aber nicht geflochten, sonst ist es zu viel!)
2. Haare in 7 Quadrate gescheitelt und aus jedem Quadrat ragen Zöpfe, in die Dreamcatcher geflochten sind.
3. Dutt, aus dem ganz viele bunte Stricknadeln ragen.

Und dann habe ich die Figuren angezogen:

1. Person mit Topflappen-Affenschaukeln bekommt ein Etuikleid aus verschiedenen aneinandergenähten Topflappen (in Rottönen).
2. Dreamcatcher-Figur bekommt ein langärmeliges Top mit Fransen am Ärmel und eine Piratenhose, an deren Außennaht Dreamcatcher baumeln (in Blautönen).
3. Stricknadel-Dutt-Frisur bekommt ein knielanges Strickkleid, ganz schlicht, mit großen Maschen (Darunter muss man natürlich noch was anziehen! In Brauntönen).

Ich bin ganz begeistert, ehrlich. Bring die Skizzen morgen mal mit. Mist, ich weiß immer noch nicht, was ich zum Kino anziehen soll, und jetzt muss ich schon wieder auf Luise aufpassen. Meine Mutter geht zum Sport und mein Vater ist noch beim Sport. Echt ätzend, sportliche Eltern zu haben!
PS: Weißt du eigentlich, was ein Etuikleid ist? So ein eng anliegendes, figurbetontes Kleid, knielang, ärmellos mit fast waagerechtem Ausschnitt. (War in den 1960ern total modern, ist aber bis heute chic.) Es ist elegant, weil es so schlicht ist, deswegen kann man es gut als Basiskleid nehmen.

Geschichte

Guten Morgen, Emily! Sag mal, was macht Cecile denn in der U7, Richtung Rudow? Sie wohnt doch in Charlottenburg!?!

Wieso? Man darf doch auch mal in die andere Richtung fahren!?!?!

Ja. Klar. Natürlich. Wundert mich nur, dass ihr plötzlich sooo einen Spaß zusammen habt.

Also, sooo einen Spaß hatten wir nun auch nicht.

Übrigens, wenn sich der Sessel die Mitochondrien rausoperieren ließe, dann würde sie in sich zusammenbrechen wie ein Kartenhaus, ob mit oder ohne Narkose.

Du sprichst in Rätseln, meine Liebe, aber eines Tages werde ich schon noch verstehen, was Mitochondrien wirklich sind. Hauptsache, du bist nicht eifersüchtig auf Cecile.

Ich? Quatsch! Doch nicht auf den Biedermeiersessel!

Na, da höre ich aber doch Misstöne. Die sind völlig überflüssig, Alex. Nur dass du das weißt.

Ja. Ja. Weiß ich. Wollen wir ein kleines Ranking machen?

Gern, aber lieber nachher, in Englisch, ja?

Nee, in Englisch schreiben wir heute den Test mit den unregelmäßigen Verben.

Unregelmäßige Verben? Wieso sagt mir das denn keiner??!! Welche denn?

Zum Beispiel: *throw up, threw up, thrown up*;-).

Das ist ja wirklich zum Kotzen!!

Latein

Der Test war echt Hammer. Hoffentlich habe ich noch eine 3. Ich kann mir diese blöden Verben einfach nicht merken.

Muss man auswendig lernen. Können wir zusammen machen.

Nützt mir jetzt auch nichts mehr.

Doch. Für den nächsten Test.

Ja, Frau Oberschlau. Worüber wollen wir uns jetzt schreiben?

Über Liebe?

Wow, Alex, ja. Liebe ist immer geil.

Gut, dann erzähl ich dir was über das faszinierende Liebesleben der Weinbergschnecken.

So'n Mist. Jetzt müssen wir den Senf von der Tafel abschreiben.

Welchen Senf?

Ethik

Guck mal, Anti-Pumps sieht ja heute so elegant aus. Das erste Mal, dass ich sie ohne diese Gesundheitsschuhe sehe. Wie findest du ihr Kleid?

Seltsam. Ist der Schlitz bis zum Schlüpfer beabsichtigt?

Der Schlitz geht ja nur bis ca. 10 cm über das Knie. Das finde ich okay. Sie hat ganz schöne Beine, wer hätte das gedacht. Allerdings finde ich das Kleid unpassend für die Schule. Mit einem ausladenden Hut wäre es ein optimales Outfit fürs Theater.

Ausladender Hut? Ist das das Gegenteil von einladendem Hut? Und was wäre dann ein einladender Hut? Auf dem man eine Party feiert????????????

Ja, stell dir vor, eine Mitochondrien-Party. Nee, mal im Ernst. Ich meine mit ausladendem Hut so einen großen Strohhut mit breiter Krempe. An dem könnten dann rote Bömmel hängen oder bunte Kaugummikugeln. Wie findest du das?

Kaugummikugeln am Hut??? Hm. Das erinnert mich an die Möhre, die man dem Esel vor die Nase hält, damit er vorwärtsläuft.

Mist, jetzt müssen wir was schriftlich machen. Hast du mitgekriegt, was?

Namen aufschreiben.

Was für Namen denn?

Na, die Namen von drei oder vier Freunden. Es können auch gefälschte Namen sein, Hauptsache, du weißt, wer hinter welchem Namen steckt. Und dann ein paar Eigenschaften dazu aufschreiben. (Also, wenn ich dich nehmen würde, würde ich schreiben: Allerbeste Freundin. Kenne ich noch mit Windeln. Ist immer für mich da, auch wenn es mir schlecht geht. Behält Sachen für sich. Lästert nicht andauernd über andere. Wir streiten uns öfter mal, aber das schadet unserer Freundschaft nie. Sie ist ehrlich zu mir und ich kann mich auf sie 100 % verlassen.)

Huh! Wie geil! Das würde ich auch bei dir hinschreiben. Und – nimmst du mich wirklich?

Na klar!

Gut. Ich dich auch. Wen du noch?

José und Aisha.

Wenn du José aufschreibst, schreib ich deinen Bruder auf.

Ich glaube nicht, dass Jakob dein Freund ist!

Doch, wieso nicht? Er hat sogar mein Fahrrad repariert.

Em, ich glaub, ich muss dich mal ernüchtern. Jakob fand dich zwar schon immer süß und niedlich, aber nur im Sinne von knuddelig, wenn du verstehst, was ich meine, eben nur als die Freundin seiner KLEINEN Schwester, wenn ich das mal so krass sagen darf.

Ach, du weißt wohl alles, was? Hast du mal in Betracht gezogen, dass wir wachsen und größer werden? Du als KLEINE Schwester und ich als deine Freundin?

Ja, aber das schnallt der doch nicht. Das ist ja das Problem. Für den bleibe ich die kleine Schwester, die er ärgern kann.

Das ist nicht mein Problem.

Deutsch

Sag mal, was ist denn nun mit dem Liebesleben der Weinbergschnecken?

Okay. Mit dem Untertitel: Wulewukuscheh avek moa, ce soa?

Oh, oh, oh, Alex, wenn Madame Esel das sehen würde. ☺

Sieht sie aber nicht. Also:

1. Bei den Weinbergschnecken *(Helix pomatia)* gibt es keine Weibchen und keine Männchen, was die Sache schon mal vereinfacht. Sie sind Zwitter (Hermaphroditen) und haben einen gemeinsamen Genitalapparat mit männlichen und weiblichen Bereichen. So können sich also ALLE geschlechtsreifen Schnecken, die aufeinandertreffen, fortpflanzen. (Das ist so, weil Schnecken so langsam sind und es der Arterhaltung guttut, wenn sie sich mit **jeder** anderen Schnecke, die sie treffen, wenn sie sich mal treffen, paaren können.)
2. Haben sich zwei gefunden, beginnen sie ein Vorspiel: Sie richten sich beide auf und berühren sich mit der Innenseite. Dabei betasten sie sich mit den Lippen und den Fühlern und wiegen sich sanft hin

und her. Stell dir vor, Em, das kann bis zu 20 Stunden dauern!

Ehrlich?! Schnecken küssen sich also und schmusen, richtig? Krass! Und weiter?

3. Und dann stechen sie sich gegenseitig LIEBESPFEILE in die Füße.

Also wenn ihr so fett LIEBESPFEILE schreibt, dann müsst ihr euch nicht wundern, wenn sie uns treffen. Was schreibt ihr denn da wieder Versautes? Das interessiert uns auch.
(Steffi & Nicole)

Wenn ihr uns versprecht, das Heft UNGELESEN weiterzugeben, erzählen wir es euch in der nächsten Pause. Ja?

Na gut.

Echt ey, wovon die immer angezogen werden.

Ja. Erzähl jetzt mal weiter!

4. Je mehr die Schnecken sich mit den Liebespfeilen stechen, desto erregter werden sie.

Nun mach's doch nicht so spannend, Alex!

Doch!

Du riskierst noch, dass unser Heft einkassiert wird, wenn du so weitermachst. Jetzt haben die Jungs auch was mitgekriegt. Martin und Tobias wollen das Heft unbedingt weitergeben. Wenn die das lesen!

Ja. Ich pass auf. Also, weiter geht's:

5. Der Liebespfeil der Weinbergschnecke ist übrigens 5–7 mm lang und besteht aus einer vierschneidigen Klinge und einer Krone.

Nee, das ist ja voll brutal!!!

Okay. Ihr habt euer Versprechen gebrochen. Jetzt erzählen wir euch in der Pause gar nichts mehr.

Seid doch nicht so prüde!

Alex, PASS AUF!! 

Englisch

Oh Mann, da haben wir ja echt einen Andrang gehabt! Plötzlich interessieren sich alle für Weinbergschnecken. Krass, oder?

Ja, und witzig, wie Johan, Martin und Tobias jetzt andauernd so tun, als würden sie Liebespfeile abfeuern. Hast du gesehen, dass Martin auf dich gezielt hat?

Ja. Ist doch ganz süß.

Piks, du bist befruchtet. 😉

Und guck mal, schnell! Johan zielt auf Cecile.

Von mir aus!

Und zwischen José und dir zischen auch die Pfeile. Das kannst du jetzt nicht mehr abstreiten, liebste Alex. Ich habe genau gesehen, wie ihr zwei euch angeguckt habt, vorhin auf dem Flur. Gib doch endlich zu,
dass du José anhimmelst.

Anhimmeln? Spinnst du? Tu ich ganz sicher nicht!

Tut tutet ein Auto. 😛

Ich mag José, weil man so unkompliziert mit ihm zusammen sein kann und er immer wieder was Neues entdeckt UND WEIL SEIN VATER EIN LABOR HAT, in das er mich demnächst mal mitnimmt. Darüber haben wir vorhin geredet. Das habe ich doch schon DEUTLICH gesagt. Und noch eine Information: Ich nehme ihn nicht mit auf die Freundschaftsliste für Ethik!

Okay. Dann nehme ich Jakob auch nicht auf die Freundschaftsliste, sondern Cem. (Der Süße vom Hip-Hop, der schon Auftritte hat.)

Em!!!!!!!!!! Das ist Polygamie!! Du gehst doch schon mit HDW ins Kino und flirtest nebenbei mit meinem Bruder. Von Martins Käsebrötchen ganz zu schweigen!

Ich flirte nicht mit einem Käsebrötchen. Das ist unter meinem Niveau.

Du weißt ganz genau, was ich meine!

Na und? Deswegen kann ich doch auch noch andere süß finden? Sei doch nicht so spießig!

Ich bin nicht spießig!

Was ich noch fragen wollte: Was sollen wir in Ethik nun mit den Namen und den Stichwörtern machen? Und was war noch mal Polygamie? Wenn man mit einem Käsebrötchen flirtet?

Polygamie ist, wenn eine Frau mehrere Männer hat. Und als Hausarbeit sollen wir ein paar Zeilen zu jedem Namen schreiben, warum es eben Freunde sind, mithilfe von Stichwörtern wie „Vertrauen", „Zuverlässigkeit" oder „Pünktlichkeit". Gründe halt. (Ich könnte schreiben, ich liebe meine Freundin Emily, OBWOHL sie polygam veranlagt ist und immer zu spät kommt.) Übrigens brauchen wir mindestens drei. ☺

Ach so. Gut. Sehr *witzig* … Schreib das. Mir fällt bestimmt auch noch was Schönes zu dir ein. Dann nehme ich Cecile noch dazu.

Häh? Den Sessel? Wieso das denn? Es sollen doch Freunde sein!!!

Ja, aber es müssen nicht nur **beste** Freunde sein. Das habe ich noch mitgekriegt!

Aber warum willst du den Sessel nehmen?

Weil Cecile eben doch ganz nett ist.

Ach ja? Hab ich noch nicht gemerkt.

Du kannst ja auch manchmal so was von stur sein!!!!!!!!!!!!!

Findest du?

Ja. Finde ich!

Ich nicht.

Hast du schon gehört, Mathe fällt gleich aus. Der Apfel ist krank. Wahrscheinlich Schwächeanfall wegen Unterernährung. Wollen wir dann hinten am Wäldchen chillen?

Wo zufällig die Raucherecke ist? – Ohne mich!

Mathe

Jetzt sind wir wegen dir zu spät gekommen, nur weil du unbedingt noch mit José Mitochondrien austauschen musstest.

Stimmt ja gar nicht. DU hast doch gesagt, Mathe fällt aus! Dabei haben wir eine Vertretung. Und dass ich José am Wäldchen getroffen habe, war reiner Zufall (wobei du doch im Hinterkopf hattest, HDW dort zu treffen).

Ja. Mist. Mathe. Echt witzig, wie José da vorhin im Gestrüpp nach Ameisen gesucht hat.

Zecken. Er hat nach Zecken gesucht.

Iiiihhhhhh! Das ist echt widerlich! Was will er denn damit? – Ist das eigentlich ein Lehrkörper da vorn?

Keine Angst, er hat keine gefunden. Ist noch zu früh. Die Zecken-Hochzeit ist erst im Mai. Ja. Ich glaube schon, dass es ein Lehrkörper ist. Hab ich aber noch nie gesehen.

Zeckenhochzeit – hihi! Wie heiraten die denn? In einer Ameisenkutsche?

Ja. Und mit einer Kellerassel als Kutscher. ☺

Wieso sucht José denn nach Zecken? Der hat doch gar keinen Hund, oder?

Braucht er für Bio. Stell dir vor, er hat auch bei Bubu Bio.

Und da nehmen sie Zecken durch? Wenn wir in der 8. so ein Viehzeug untersuchen müssen, schwänze ich.

Keine Angst, Em, das mach ich dann für dich. Zecken sind hochinteressant. Wenn du sie unters Elektronenmikroskop legst, kannst du hervorragend die Widerhaken an ihrem Rüssel sehen. Und wusstest du, dass sie eine Art Nase (Haller'sche Drüsen) an den Vorderbeinen haben?

Nein, das wusste ich nicht und ehrlich gesagt, will ich das auch gar nicht wissen.

Fragst du dann bitte mal Steffi oder Natascha, wer dieser Lehrkörper da vorn ist. Der macht mich ganz nervös.

Ist doch egal. Solange er uns in Ruhe lässt, lassen wir ihn auch in Ruhe. – Irgendwie sieht er zu cool für einen Lehrer aus, findest du nicht? – Triffst du dich jetzt mit José heute Nachmittag? Bei ihm???

Ja. Er hat ein neues Mikroskop. Ein elektronisches!

Schick. Schick. Hat er auch eine Schmetterlingssammlung?

SEHR WITZIG. – Ich glaub, das da vorn ist tatsächlich eine Vertretung, die mit uns Mathe macht. Hast du St. oder N. jetzt mal gefragt?

Nein. Kriegen wir schon selber raus. Komisch. Den hab ich noch nie gesehen. Sieht echt übelst cool aus mit seinem grünen *Hoody*. Und diese struppigen Haare. Ein bisschen wie der süße Hund aus *The Artist*, findest du nicht? Wo haben wir den denn her?

Ja, wie Uggie. Ob er auch „Hübsch" machen kann;-)))?

Oder „Männchen"?

Carmen hat gesagt, er kommt aus Heilbronn.

Uggie?

Nicht der Hund, aber der Lehrer.

Und woher will Carmen das wissen?

Weiß ich doch nicht.

Was macht er denn in Berlin, wenn er aus Heilbronn ist?

Na ja, man muss ja nicht sein Leben lang in Heilbronn bleiben. Irgendwann kommt jeder mal nach Berlin. Carmen sagt, das hat er vorhin gesagt, als wir noch nicht da waren.

Dass er aus Heilbronn ist oder dass jeder irgendwann mal nach Berlin kommt?

Ist doch egal!

Hat er sonst noch was gesagt?

Dass er Vertretung macht.

Sag das doch gleich, Alex. Da kann man nur hoffen, dass der Apfel noch lange krank bleibt. Wie heißt der eigentlich? Ist ja die reinste Augenweide, muss man schon sagen. Und Grübchen hat er auch.

Wo denn, am Popo? 😉

Liebe Leute, wie ich sehe, ist das hier ein privates Heft und ich habe auch nicht alles gelesen. Ehrlich! Aber die letzten Zeilen sind mir doch gleich ins Auge gesprungen. Darf ich Euch persönlich auf Eure Fragen antworten?

1. Ich bin nach Berlin gezogen, weil ich Heilbronn zu langweilig fand. (Nach dem Motto: Irgendwann kommt jeder mal nach Berlin.)
2. Ich bin auf Eurer Schule als Referendar. Meine Fachgebiete sind Mathe und Sport. Ich vertrete auch kranke Kollegen, deswegen bin ich heute bei Euch.
3. Ich heiße Julian Ahrens.
4. Ich danke für das Kompliment, dass ich eine „Augenweide“ bin, und möchte Euch bitten, diese Mitteilungen vor anderen Lehrern geheim zu halten, sonst wird noch jemand neidisch. (Übrigens, ich habe KEINE Grübchen am Popo.)

Geografie

WIE PEEEEEEEIIIIIIIIIINLICH!!!!!!!!!!!! Ich könnte vor Scham versinken. Ich dachte, ich sterbe in Mathe einfach weg.

Ja, wäre ich bloß schon tot! Mannomann! Das ist uns ja noch nie passiert. Darf ein Lehrer so was überhaupt?

Du meinst: „Popo“ sagen?

Solange sich keine Eltern darüber beschweren.

Wir sagen's nicht weiter. Sicher nicht!!!

SAMSTAG

Nachmittags

Jetzt sitzen wir im Auto. Luise hat schon zweimal gekotzt. Einmal in eine Plastiktüte und einmal daneben. Ich weiß wirklich nicht, warum wir nicht mit dem Zug fahren. Da wird ihr nicht schlecht. Aber kaum sitzt man fünf Minuten im Auto, geht es schon los. Sie liegt da ziemlich verrenkt auf der Rückbank, mit dem Kopf auf dem Schoß meiner Mutter. Verrenkt, weil sie ja angeschnallt bleiben muss. Echt, wenn du mich fragst, voll die Kinderquälerei. Nicht nur für Luise, auch für mich, denn es stinkt. Mir ist auch schon schlecht, deswegen höre ich jetzt auch auf zu schreiben.

Später

Jubel, Trubel, Heiterkeit. Jetzt geht es allen wieder gut. Mir auch. Ich durfte nämlich vorhin an den Computer von Tante Elke. Hab mich dann bei *Facebook* eingeloggt, wollte mal gucken, wer so online ist, aber HDW habe ich nicht gefunden. Dann hab ich's mal bei Bruder Jakob probiert. Und nun halt dich fest! Er hat mir total süß geantwortet! Er hat ... Mist, jetzt muss ich runter. Wir fahren gleich in die Location, wo die Feier ist. Ich schreib heute Abend weiter.

Später

Mitten in der Nacht! Meine Eltern sind noch am Abhotten, ich bin mit Luise im Taxi zurückgefahren. Die Musik war mir dann doch zu nostalgisch: Pop aus den 90ern. Das erträgt man auf die Dauer nicht. Luise schläft zum Glück und ich muss dir jetzt unbedingt schreiben, was dein Bruder mir geschrieben hat. Du glaubst es nicht!! Schnall dich an!

Ich: „Hey, wie geht's denn so? Mimi." (Bei *Facebook* bin ich unter Mimi Fischer angemeldet.)
Er: „Hey, Mimi. Alles easy, und bei dir?"
Ich: „Auch. Danke noch mal fürs Fahrradreparieren."
Er: „Kein Thema. Gern wieder."
Ich: „Na, so oft hat man ja zum Glück keinen Platten."
Er: „Springt die Gangschaltung auch nicht mehr raus?"
Ich: „Die Gangschaltung? Nein, nein. Die funktioniert super."
Er: „Cool, dass du dich meldest! Was machst'n grade?"
Ich: „Nichts Besonderes. Und du?"
Er: „Auch nichts Besonderes. Wollte gleich 'ne Runde kickern gehen."
Ich: „Kicken oder kickern?"
Er: „Kickern. Also mit Tisch. Tischfußball sozusagen."
Ich: „Ah. Wo denn?"

Er: „Mit ein paar Kumpels in der Dieffe."
Ich: „Dieffenbachstraße?"
Er: „Ja."
Ich: „Cool. Dann viel Glück."
Er: „Danke. Danke. Komm doch mal vorbei. Dann können wir zusammen eine Runde kickern."
Ich: „Ja, mach ich. Kann ich auch mal mit deinem Moped mitfahren?"
Er: „Ja. Klar. Heute Abend?"
Ich: „Heute geht nicht, bin nachher auf einer Party (außerdem nicht in Berlin)."

Er: „Wo bist'n?"
Ich: „Braunschweig."
Er: „Besser als in Leberwurst. Kleiner Scherz am Rande. Aber echt mal: Wann kommst'n wieder?"
Ich: „Morgen Abend."
Er: „Dann komm nächste Woche doch einfach vorbei. Bin fast jeden Nachmittag da."
Ich: „Vor Donnerstag bin ich aber nicht *available*."
Er: „Dann eben danach."

Alex! Du behauptest ja immer, dein Bruder ist ein Muffel, redet nicht, außer, wenn er was haben will. Aber ich finde ihn locker und witzig. War auch beim Reifenflicken so nett zu mir. Okay, so cool wie bei *Facebook* hat er noch nie mit mir geredet. Das freut mich so! Ich zwinge mich jetzt, ein paar Tage zu warten, bevor ich mich wieder bei ihm melde, nach dem Kino mit HDW. Alex, bitte, würdest du

dann mit zum Kickern kommen? Da kann ich doch nicht allein hingehen. Bitte, bitte, Alex. Tu es für mich!
PS: Ich versteh nur nicht den Scherz mit der Leberwurst. Du?

Samstagnachmittag, auf dem Klo

Muss dir unbedingt schreiben, Em. Auch wenn's nur auf einem Zettel ist. Hab hier nichts anderes auf dem Klo (und du hast ja das Heft dabei). Ja, du liest richtig. Ich sitz auf dem Klo und habe endlich mal meine Ruhe! (Während du bei deiner Tante mit deinen Cousins flirtest, oder????)
Du glaubst gar nicht, was bei uns los ist! Meine Mutter ist völlig durchgedreht. Wegen meinen *Drosophila melanogaster*. Jeden zweiten Tag muss ich doch die gesamte Population aus einem Reagenzglas mit Äther betäuben und die Männchen aussortieren. (Sonst gibt es eine Bevölkerungsexplosion und sie passen nicht mehr in ein Glas.) Du hast ja gesehen, wie voll meine Gläser letztens waren! Mittlerweise habe ich schon 14. Sie stehen auf der Küchenanrichte, neben der

Obstschale, weil dort optimale Licht- und Temperaturverhältnisse herrschen und weil es eben Fruchtfliegen sind. (Von da aus können sie die Früchte wenigstens sehen.)
Seit ein paar Tagen habe ich in einem Extraglas nur Männchen. Ich wollte mal sehen, ob die untereinander klarkommen bzw. auch noch was anderes zu tun haben als die Befruchtung von Weibchen (z. B. Fußball spielen – kleiner anthropomorphistischer Scherz für dich.) Aber aus irgendeinem Grund habe ich wohl ein paar Weibchen für Männchen gehalten und schon hatte ich eine Bevölkerungsexplosion im Glas. Mein blöder Bruder hat zufällig mitgekriegt, dass das „das Männerglas" war, und hat gedacht, ich habe vorsätzlich so viele Männer da reingestopft. Und was macht er???? Dreimal darfst du raten! ER BEFREIT SIE!!!

Sie haben sich dann gleich auf der Obstschale verteilt, natürlich auf den Bananen. Im Nu waren sie schwarz vor Fliegen. Meine Mutter hat einen Schreikrampf gekriegt und wollte sofort die anderen Gläser entsorgen. Ich habe versucht, ihr klarzumachen, dass sie jetzt bitte kein Fruchtfliegen-Massaker veranstalten soll, aber sie hat nur geschimpft und rumgefuhrwerkt. Dabei ist eins von den Marmeladengläsern runtergefallen und aufgegangen und schon verteilten sich die verschiedensten Populationen in der ganzen Küche. Und weißt du, was meine Mutter dann gemacht hat???? – Sie hat eiskalt den Staubsauger geholt und meine *Drosophila melanogaster* einfach weggesaugt!!! Und jetzt ist meine Studie hin. Alle Arbeit umsonst! Aber das versteht sie nicht. Meckert nur rum, weil sie so viele Fliegen in der Küche hat, und ich darf überhaupt keine Versuche mit Tieren mehr in der Wohnung machen. Wir haben uns so richtig gestritten. Du glaubst ja gar nicht, wie unlogisch meine Mutter sein kann! Plötzlich musste ich mein Zimmer aufräumen und unter dem Bett staubsaugen, wobei ich gerade dabei bin, dort Wollmäuse zu züchten. José und ich wollen uns die doch unter seinem elektronischen Mikroskop angucken! – Alle im Staubsauger gelandet! Deswegen habe ich mich jetzt erst mal im Klo eingeschlossen und das werde ich auch noch weiter blockieren. Da kann meine Familie Gift drauf nehmen! Schade nur, dass ich mein Handy nicht dabeihabe, sonst könnte ich José anrufen und ihn fragen, ob seine Wollmäuse schon groß genug sind und ob er mir vielleicht ein, zwei abgibt.

Deutsch

Em, dein Wochenendbericht ist cool. Aber dass du mit Jakob gechattet hast, ist ja echt Hammer!
PS: Das mit der Leberwurst ist sein *running gag*. Kaum erwähnt einer Braunschweig (wegen der Braunschweiger – Teewurst –, du verstehst?!), fängt er mit Leberwurst an. Ätzend, sage ich dir!!

Ich habe doch gesagt, ich bin nicht mehr nur die Freundin seiner „kleinen" Schwester. Endlich!!!
PS: Ich find das mit der Leberwurst ganz witzig.

Na, dann wird für dich ja ein Sandkastentraum wahr. Aber dass du ernsthaft mit ihm kickern willst und mich nötigst, mitzukommen, erschüttert mich. Bei aller Freundschaft kann ich das nicht!

Bitte!!

Nö, echt mal. Wann denn überhaupt? Und was ist mit HDW?

Mit HDW ist Kino, das weißt du doch. Darauf konzentrier ich mich jetzt auch erst mal und dann Kickern. Hilfe, Kino ist ja schon übermorgen!!! Bitte, liebe Alex, bitte, komm mit.

Wie, jetzt auch noch ins Kino?

Quatsch! Kickern!

Ich überleg's mir.

Puh, das war ja gerade knapp. Ich dachte schon, Doktor Schnarch will uns das Heft wegnehmen. Warum ist sie heute eigentlich so hyperaktiv? Sonst liest sie doch immer nur was vor.

Wir haben das Buch durch, liebste Em.

Ja. Trotzdem muss sie sich ja nicht so aufführen. Dass sie Carmen und Cecile nur einmal ermahnt und dann gleich auseinandersetzt. Ausgerechnet Carmen neben dich und Cecile neben mich, wie in Englisch. Vielleicht hat sie sich mit Mrs Secret abgesprochen? Das wäre krass, oder?

Quatsch, das hat bestimmt der Sessel eingefädelt. Der schleimt sich ja schon die ganze Zeit bei dir ein.

Einschleimen??? Tut sie ja gar nicht.

Warum kichert ihr denn die ganze Zeit rum?

Man kann doch mal kichern, wenn man schon nebeneinandersitzt! Ich hab sie nur gefragt, wie es ihr jetzt ohne Mitochondrien geht. ☺

Sehr lustig!!

Ja. Das kann man wohl sagen.

Wie wär's mit Mädchenranking?

Okay, ich fang an:

Steffi	3–	Steffi halt, die zwischen erträglich und unausstehlich schwankt.
	3–	Sehe ich auch so.
Nicole	3–	Vielleicht schafft sie es ja eines Tages, Steffi mal nicht alles nachzumachen. Ihr Partnerlook heute ist ja ätzend, ich meine, wir sind ja nicht mehr in der zweiten Klasse!
	4	Mitläufer und Nachläufer interessieren mich auch nicht, egal, was sie anhaben.

Olga	2	Ist und bleibt cool, auch Lehrern und Jungs gegenüber.
	2	Ja, finde ich auch, ohne arrogant zu sein.
Natascha	4–	Hat ja jetzt immer eine Kamera dabei, um jederzeit hippe Fotos von sich zu machen, die sie bei *Facebook* reinstellt.
	4–	Ihr Lächeln ist wie angeklebt.
Leila	2	Finde ihre neue Hüfthose ganz toll, sie probiert immer was Neues aus, was nicht alle haben.
	2	Habe letztens so mit ihr gelacht, weil sie statt „Nagellackentferner" „Nasenlackentferner" gesagt hat.
Mareike	4–	Ist so düster drauf letzte Zeit, findet alles blöd, was nicht von ihr kommt.
	5	Hat Leila in der Franzarbeit letztens nicht abschreiben lassen.
Aisha	2	Ihre Schwester macht demnächst einen Klamottentausch und da will sie uns auch einladen.
	2+	Sie züchtet jetzt auch Drosophilas.
Lina	1	So ansteckend fröhlich und nett in letzter Zeit.
	2+	Auch total witzig, wie sie ihr Gesicht bewegen kann. Echt ausdrucksstark und mutig.

Carmen	3	Ganz okay, nervt aber noch in Sport.
	3+	Mich nervt sie eigentlich nicht mehr so doll.
Cecile	2	Echt nicht arrogant, wie ich dachte, wahrscheinlich nur schüchtern. Und wenn man sich ein bisschen mit ihr befasst, merkt man, dass sie ein total nettes Mädchen ist.
	4	Total nett??????? Wo denn?????

Auswertung für heute: Unsere kleine, dicke Lina ist das „Mädchen der Woche" (wer hätte das gedacht?) und Mareike „Tussi der Woche" (obwohl sie ja nicht aussieht wie eine Tussi).

Wie muss denn eine Tussi für dich aussehen?

Wie der Sessel – äh, Cecile.

Alex, ich wusste, dass du eine Bemerkung machst. Weil ich ihr eine 2 gegeben habe. Lass dir eins gesagt sein: Sie ist wirklich nett! Und jetzt will ich aufpassen.

Kunst

Sag mal, wie viel schräge Figuren mit schrägen Frisuren willst du eigentlich noch zeichnen? Mir fällt einfach nichts ein.

Es ist die 14. Figur, liebe Alex, ich will weiterzeichnen. Macht total Spaß! Wir dürfen übrigens zeichnen, was wir wollen. Du musst also keine Figuren malen! Hauptsache, was mit vielen Details. Lass dir was einfallen.

Sag mal, sehe ich richtig und Cecile hat dir einen Zettel geschrieben?

Ja.

Und was schreibt sie?

Sie hat mich nur gefragt, ob ich ihr bei ihren Figuren ein bisschen helfen könnte, weil die so blass aussehen.

Ach. Und machst du das jetzt?

Ja.

Und mir hilfst du nicht weiter!

Du kannst das doch super selber!!!

Mir fällt aber nichts ein!!!

Mensch, Alex. Grübel doch mal ein bisschen!

Hm. Grübel, grübel.

Und bitte! Lass mich. Ich möchte jetzt zeichnen!

Aber Cecile hilfst du.

Nein. Nicht jetzt. Wir besprechen das später. Außerdem hat sie ja schon Figuren entworfen, im Gegensatz zu dir. Frag doch Frau Schigulla.

ACHTUNG! Sie geht von Tisch zu Tisch.

Dann rede doch mit ihr!

Aber es ist doof, wenn ich sie frage. Dann merkt sie, dass mir nichts einfällt, und gibt mir eine 6 wegen Einfallslosigkeit.

Das würde Frau Schigulla nie machen!

Grübel, grübel, grübel – Birne schon wund!!

Zeichne doch eine Spinne.

• Fertig.

Was soll das????

Ich habe dir doch gesagt, dass die kleinste Spinne der Welt (Patu digua) nicht größer ist als ein Punkt am Ende eines Satzes. Und meine Spinne steht eben am Anfang des Satzes. 😛

Schön. Schön.

Okay. Jetzt habe ich eine Idee! HAH!! Da kommst du nie drauf! Und Cecile erst recht nicht!

Chemie

Alex, du bist echt genial! Echt, dein pinker Wasserfloh ist so was von geil. Frau Schigulla war auch ganz hin und weg!!! Mit allen Innereien und Saugrüssel, sogar mit Haaren an den Beinen! Und dann noch in DIN A3, über-über-überlebensgroß hoch zehn, mindestens!

Danke. Danke. Schreib mal, was Cecile jetzt aus ihren Figuren machen will (nach deiner Beratung).

Kann jetzt nicht mehr schreiben, weil ich die Formeln für die Chlor-Alkali-Elektrolyse nicht verstanden habe. – Was ist denn noch mal eine Elektrolyse?

Frag doch Gummibärchen.

Ich wusste, du würgst mir einen rein!

Ich würg dir keinen rein, ich geb dir nur zurück, was du mir in Kunst angetan hast. ACHTUNG! Halt das Heft schön flach!

Du bist gemein und kleinkariert!!!

Grübel mal schön, Em.

Gut: Grübel, grübel, grübel … Zufrieden??!!

Es geht!

Grübel, grübel, grübel, grübel, grübel, grübel, grübel, grübel, grübel, grübel, grübel, grübel, grübel, grübel, grübel … ggggggrrrrrr …

Prima!

Alex, Chemie ist nicht Kunst. Da kann ich mir nicht einfach was ausdenken! Das ist ja das Schlimme an Na-

turwissenschaften! Also, was ist eine ELEKTROLYSE????
Ich würde mich wirklich gern mal melden.

Eine Zerlegung durch elektrische Energie.

Wie? Mehr nicht?

Fürs Melden reicht es. Nun mach schon!

Okay. Danke. – Und was ist jetzt mit der Chlorknallgas-explosion im Klo???

Eine ChlorKNALLgas-Explosion im Klo gibt es nicht. (Sonst hätte ich vorgestern bei uns eine verursacht, das kannst du mir glauben.) Es gibt leider überhaupt keine Explosion im Klo. Das verwechselst du mit der ChlorKNALLgas-Explosion, die durch Lichteinstrahlung ausgelöst werden kann (bei einem Chlor-Wasserstoff-Gemisch) – du erinnerst dich, der Versuch von letzter Woche (mit dem Gummibärchen).

Ja. Klar erinnere ich mich – mein Alzheimer hält sich in Grenzen. Aber ich habe das jetzt mit dem Klo nicht mitgekriegt. Irgendwas ist doch im Klo passiert? Was soll der Scheiß eigentlich???!!!

Wir wurden nur gewarnt, dass man keine chlorhaltigen Kloreiniger mit anderen Reinigern mischen soll, weil dabei Chlorgas entsteht, was giftig ist (ACHTUNG, da kann man einen Gehirntumor von kriegen!!). Aber dabei entsteht keine ChlorKNALLgas-**Explosion**, sondern nur eine Chlorgas-**Reaktion**.

Das muss ich unbedingt meiner Mutter sagen, dass ich nie wieder unser Klo putze, weil ich sonst einen Gehirntumor kriege!!!

Siehst du, Chemie ist eben doch zu was nütze! ACHTUNG! Gummibärchen hat gerade so intensiv geguckt.

Okay, ich pass jetzt lieber auf. Aber sag mal schnell noch, was machst du denn jetzt mit den restlichen Reagenzgläsern voller Fliegen? Hast du sie mit in dein Zimmer genommen?

Nein, in mein Zimmer darf ich sie nicht mitnehmen. Meine Mutter befürchtet eine Mutation, wenn sie das nicht unter Kontrolle hat. Jakob ist aber auch echt zu blöd. Der hat mir das doch alles eingebrockt. Wenn ich nur wüsste, was ich ihm antun könnte? Aber mir wird schon was einfallen.
ACHTUNG! Jetzt gibt es einen neuen Versuch!!!

Was hast du denn heute andauernd mit deinem ACHTUNG??? Sind wir im Krieg, oder was?

Englisch

Du, was soll ich denn jetzt anziehen?

Hä? Wann? Wo?

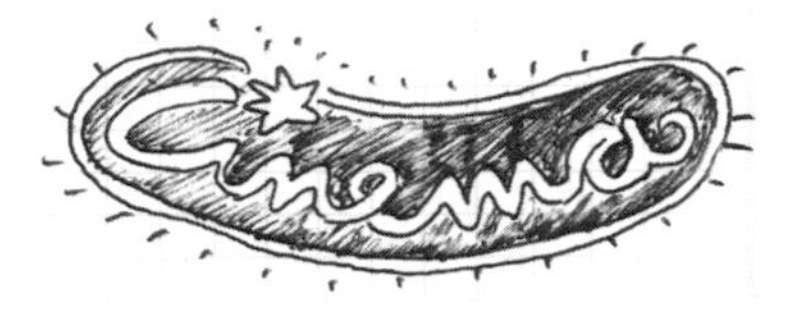

Ins Kino, du Dämel. Mit HDW.

Wie wird denn das Wetter?

Wir sind doch im Kino, Alex, da ist doch egal, wie das Wetter wird.

Du musst aber zum Kino hinkommen.

Ja. Nun denk doch nicht so praktisch – echt, wie meine Mutter. Setzen wir mal voraus, dass ich diesbezüglich schon was finde, bleibt aber noch die wichtigste Frage, die Styling-Frage.

Okay. Da müssen wir wohl das Ausschlussverfahren anwenden – also Unzutreffendes bitte streichen:

Rock?
Kleid?
Jeans?
Andere Hose?
Leggins?

Strumpfhose?
Derbe Schuhe?
Turnschuhe?
Stiefel?

WENN ICH DAS WÜSSTE, WÄRE ICH WEITER!!!

Wie wäre es mit deinem grünen Schlabbertop und einem kurzen schwarzen Rock, Strumpfhose oder Leggins und derben Schuhen? Das könnte ich mir ganz gut vorstellen.

Ja, ich eigentlich auch. Und die Haare?

Offen lassen. Ohne Schnickschnack.

Was meinst du denn mit Schnickschnack?

Du weißt ja, dass ich deine Spangen nicht so krass finde. Deine Haare fallen besser, wenn man sie fallen lässt.

Danke. Und Accessoires?

So wenig wie möglich: Also nur eine von deinen selbst gemachten Ketten, würde ich sagen, oder ein selbst gestrickter Schal und Ohrstecker (auch grüne). Keine Ringe.

Welche Tasche?

Dein selbst genähter Einkaufsbeutel oder die coole Tasche, die dir deine Tante Elke mal aus London mitgebracht hat.

Oh ja, übelst cool!!!

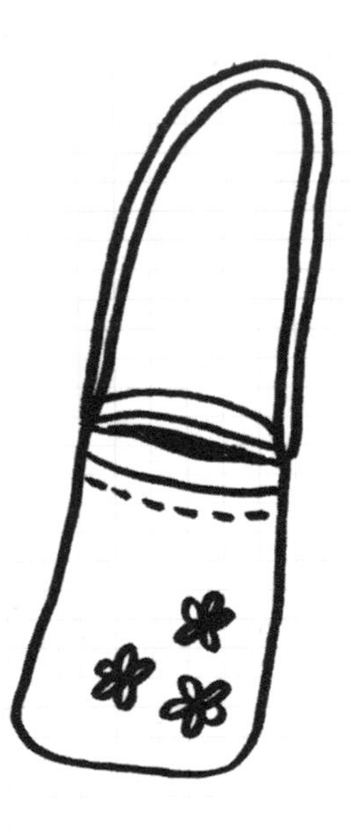

DIENSTAG

Mathe

Ich finde, der Apfel ist echt dünner geworden. Ihr *Twinset* schlackert schon. Die „Anguckdiät" scheint also doch zu wirken.

Ja. Habe ich auch schon gedacht. Ob das immer derselbe Apfel ist, den sie aufs Pult legt?
PS: Was ist noch mal ein *Twinset*?

Nein, der von der letzten Stunde war grüner und kleiner. Dieser ist groß und rot.
PS: Na, diese fliederfarbene Pulli-Strickjacken-Kombination. Sie hat sie auch in Beige, in Blau und Bordeauxrot.

Ach so. Ich hätte wirklich gern den kleinen Apfel da!

Guck ihn nicht so oft an, Alex, sonst wirst du auch dünner. Ich wollte dich die ganze Zeit schon fragen, ob ich ins Kino vielleicht eine Brosche anziehen soll. Eine von denen mit den Wabbeltierchen. Und wie fändest du Käferbroschen?

Cool. Aber die Beine und Flügel von Käfern brechen zu schnell ab.

Ich meinte doch nicht Broschen mit echten Käfern! Igitt, Alex, das ist echt *disgusting*.

Na ja, dann eben aus Plastik oder aus Hartgummi. Gibt es so was denn?

Klar. In so schrillen Accessoire-Shops. Da gibt es z. B. einen an der Kastanienallee. Können wir heute Nachmittag ja hingehen.

Ja. Gut.

Sag mal, hättest du was dagegen, wenn Cecile auch mitkommt? Sie will unbedingt ihr Outfit ein bisschen aufpeppen und da habe ich ihr den Accessoire-Laden an der Kastanienallee vorgeschlagen.

Ich habe keine Zeit, in den Prenzlauer Berg zu fahren.

Häh? Du hast doch gerade zugesagt!!

Aber auf Pr.Brg. hab ich jetzt doch keinen Bock.

Worauf hast du denn Bock?

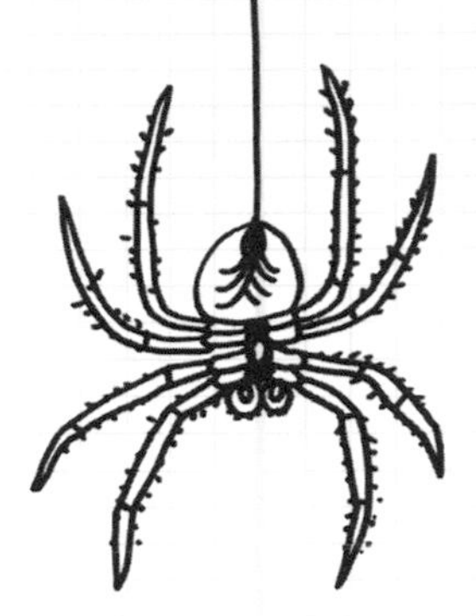

Ich dachte, wir chillen irgendwo, du und ich.

Können wir doch auch im Pr.Brg.

Och, ich weiß nicht. Zu dritt da rumzulatschen finde ich nicht so prickelnd.

Alex, jetzt geht das wieder los! Es ist wegen Cecile. Du findest es doof, dass ich mich mit ihr ganz gut verstehe und dass sie mitkommen will.

Musst du selber wissen, ob du sie mitnimmst. Ich komm dann jedenfalls nicht mit. Sag mal, du lässt den Sessel ja wohl nicht auch noch unser Heft lesen?

Spinnst du?!

Spinnen tun nur Spinnen. Dann ist ja gut.

Wie wäre es, wenn ich heute Nachmittag zu dir komme und dann können wir immer noch überlegen, was wir machen. Ich habe mit Cecile noch nichts fest ausgemacht, wollte dich erst fragen.

Ja. Gut.

Sag mal, ist die Freundin von Jakob – wie heißt sie noch mal? – oft bei euch?

Ach, ich hab dir noch gar nicht erzählt, dass zwischen Penelope Nissel und Jakob Schluss ist?

Echt?! Erzähl!

Es ist Schluss. Und mein Bruder lässt seinen Frust mal wieder an mir aus. – Sag mal, du zeigst Cecile wirklich nicht, was wir uns schreiben? Die schielt nämlich andauernd aufs Heft.

Natürlich nicht! Aber sie findet unser Heft total cool. Sie würde sich auch gern mit jemandem im Unterricht schreiben.

Dann muss Cecile sich eben jemanden suchen, mit dem sie sich schreiben kann.

Mein Gott, Alex. Nun werd nicht schon wieder eifersüchtig!!!

Werd ich ja gar nicht.

Wieso guckst du dann so knurrig?

Schlechte Laune.

Wieso denn?

Frag doch nicht so doof! Hat man halt mal.

Wie kann ich dich wieder aufmuntern? Soll ich dir ein Kleopatra-Käferchen schenken?

Ggggggggggggggrrrrrrrrrrrrrrrrrrr!!!!!!!!

Eine Wollmaus?

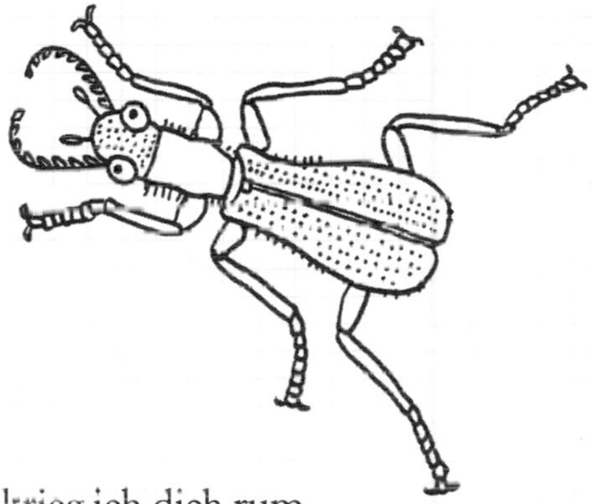

Gggggggggggggggggrrrrrrrrr!!!

Kinderschokolade?

Grrr!

Du wirst also schon zahmer. Gleich krieg ich dich rum.

Hast du noch was anderes zu essen dabei außer Kinderschokolade? Vielleicht noch eine Stulle? Die nähm ich dann vor der Kinderschokolade.

Ja. Kannst meine letzte Käsestulle haben, aber sag erst noch, wer Schluss gemacht hat, Penelope Nissel oder Jakob.

P. N. natürlich. Wer hält es schon mit so einem Vollpfosten aus?

Vielleicht hat er aber auch Schluss gemacht, weil er sich in eine andere verliebt hat.

Glaub ja nicht, in dich, nur weil er ein bisschen mit dir gechattet hat.

Er wollte sogar mit mir kickern gehen und mich auf seinem Moped mitnehmen!

Musst du selber wissen, mit wem du dich einlässt. Bin ja nicht dein Beziehungsberater. Und seiner auch nicht!

Grummeltante!!!

Schiebst du mir jetzt bitte deine Käsestulle plus Nachtisch rüber?!?!?!?

Französisch

Mann, ey, das war ja gerade ein Schock, als ich den ersten Satz von der SMS gelesen habe. *Sorry, sorry, meine Süße, aber ich muss morgen zum Zahnarzt. Hatte ich völlig verpeilt.* Dann hat mich irgendwer auf der Treppe angerempelt und ich konnte nicht so schnell weiterlesen. Puh! Zum Glück ist ja alles halb so wild. Ich dachte schon, HDW sagt Kino ab!

Du sahst total blass aus! Was hat dich denn nun wieder zum Strahlen gebracht?

Der nächste Satz: *Donnerstag Kino? Bitte, bitte, sag ja! I.l.d.ü.a., HDW*

Was soll ich dazu sagen?

I.l.d.ü.a. – Alex, du weißt, was das heißt?!?

Natürlich.

Du bist echt unsensibel! Kennt man ja von dir.

Danke!

Eigentlich auch ganz gut, dass wir morgen noch nicht ins Kino gehen, sondern erst Donnerstag. Dann kann ich mir noch mal in Ruhe überlegen, was ich anziehe.

Physik

Alex, wenn du schon nicht mehr mit mir redest, kannst du mir dann wenigstens schreiben?!?!

Ich verstehe echt nicht, wieso du so heftig reagierst! Und alles wegen Cecile. Lächerlich!!

Dann lach doch! Glaubst du, ich weiß nicht, dass sie gestern bei dir war? Hat Carmen mir heute Morgen brühwarm erzählt. Wahrscheinlich weiß jeder hier Bescheid, nur ich nicht.

Ist ja gar nicht wahr, Alex. Als ich dir vorhin sagen wollte, was gestern war, bist du ja gleich abgehauen. Lies doch endlich mal meinen Zettel von gestern Abend.

Nein, keinen Bock. Will aufpassen.

Dienstagabend

Liebe Alex, es ist Dienstagabend, ziemlich spät, aber ich muss dir unbedingt schreiben, damit du alles verstehst und morgen nicht sauer bist.
Cecile hat mich vorhin angerufen, mich gefragt, ob ich nicht an der Körtestraße wohne. Doch, habe ich gesagt, klar. Welche Nummer, wollte sie wissen. 16, habe ich gesagt. Vorderhaus oder Hinterhaus? – Vorderhaus, 3. Stock. – Ob wir einen Balkon hätten? Klar haben wir einen Balkon. Wieso? Weil sie im Restaurant ist, genau gegenüber. Im *Maison Blanche*. Sie war dort mit ihren Eltern und Freunden von ihren Eltern, schon seit Stunden. Ob ich mal auf den Balkon kommen könnte, vielleicht könnte sie mich sehen.
Und dann stand sie auf dem Bürgersteig vorm M. B. und ich auf unserem Balkon und wir haben uns zugewunken. Das war echt witzig. Ihr war hundslangweilig, das konnte ich gleich sehen. Komm doch zu mir hoch, habe ich vorgeschlagen. Ja, und dann ist sie gekommen.
Alex, eins vorweg. Sie ist echt nicht arrogant, nur ziemlich schüchtern. Hat sich kaum getraut, mich anzurufen, obwohl wir damals schon, kurz nach den Mitochondrien, Handynummern ausgetauscht

hatten. Sie hat auch noch immer keine Freunde in Berlin und überhaupt keine Lust, ständig mit ihren Eltern mitzutraben. Ihre Mutter würde tierisch nerven, weil sie ihr immer Kleider aufdrückt. Sie mische sich total ein.
Cecile war völlig angetan von meinem Zimmer – sie fand meine Kleiderstangen übelst cool, die vielen Schubladen erst mal und den ganzen Kram, der bei mir rumliegt. Ich habe ihr dann meine Knopfdose gezeigt und wir saßen auf dem Boden und haben Knöpfe angeguckt. Sie wollte wissen, wie viele es sind. Wir haben sie gezählt: sie ist auf 731 gekommen und ich auf 713. Ist das nicht verrückt? Nächstes Mal, wenn du bei mir bist, musst du sie mal zählen, ja? Bin gespannt, was du rauskriegst.
Sie wollte auch unbedingt noch meine Stoffe und die Tops sehen, die ich genäht habe. Ehrlich, Alex, sie ist echt nett! Sie hat mich dann gefragt, ob ich ihren *Hermes*-Schal gegen einen von meinen selbst bedruckten Schals tauschen würde. Ich meine, so ein *Hermes*-Schal kostet ein Vermögen! Obwohl sie ja total spießig sind, besonders Ceciles. Sie trug einen beigen mit blassen, malvenfarbenen Streifen (Marke „mittelalterliche Sekretärin"). Ich dachte, wenn ich den mit meinem Radiergummistempel –

Motiv fliegenfressender Frosch – mit Textilfarbe bedrucke, dann sähe er echt cool aus zu einem schlichten Etuikleid. ODER: Ich lasse ihn boring-beige, wie er ist, kombiniere ihn mit meinem hellblauen Eisbär-Kleid und den spacigen gelben Lackstiefeletten vom Boxi-Flohmarkt. Also haben wir getauscht. Sie hat den lila-pinken Knitterschal gekriegt. Wir haben dann noch eine *Bionade* bei mir auf dem Teppich getrunken (kannte sie nicht!!!) und ein bisschen gequatscht. Sie hat mir von Starnberg erzählt, das ist da bei München, wo sie herkommt. Und dann haben ihre Eltern angerufen und sie musste abtraben. Sie tut mir irgendwie leid. Ich kann sie echt nicht länger „Sessel" nennen.

Ja. So war das. Und jetzt ist es schon wieder kurz vor Mitternacht und ich kann nicht schlafen, weil ich immer noch nicht weiß, was ich fürs Kino anziehen soll.

Deutsch

Alex, hast du den Zettel jetzt endlich gelesen? Wir haben doch nur einen Schal getauscht und ich habe sie ein bisschen in Outfit-Fragen beraten.

Eben nicht. Ihr habt bestimmt auch über HDW geredet. Du hast ihr Geheimnisse anvertraut. Gib es doch zu! Glaubst du, ich merke es nicht, dass sie seit letzter Woche an dir klebt, als hättet ihr UHU zwischen euch? Wo du sie doch auch doof fandest! Seit wann hängst du mit Doofen rum?

Alex! Kapier das doch endlich! Ich finde sie nicht mehr doof, weil sie nicht doof ist! Sie hat nur doofe Eltern und keine Geschwister.

Och, das arme Einzelkind!!!! Machst du jetzt einen auf Psychotante, oder was? Ich glaub auch nicht, dass es in München keine *Bionade* gibt!!! Und wieso tut sie dir plötzlich leid, nur weil sie eine *Bionade* trinkt?

Sie tut mir ja nicht plötzlich leid, weil sie eine *Bionade* getrunken hat, sondern überhaupt. Ihre ganze Situation. Wie soll ich sagen … einfach elendig. Wieso kapierst du das nicht?

ELENDIG??? Meines Erachtens ist das ein Wort, was ich niemals mit dem **Sessel** in Verbindung bringen würde. (Übrigens hast du ihr den Namen verpasst. Und wir fanden gleich, der passt zu ihr wie Arsch auf Eimer!)

ALEX, nun komm mal wieder runter! Sie tat mir leid, weil ich ihre Eltern gesehen habe. Piekfein, aber tierisch steif. Und dann noch in so einem riesigen schwarzen Protzerauto, wo sie Angst hatten, dass es ihnen in Kreuzberg abgefackelt wird.

Wieso kommen sie dann nach Kreuzberg?!?!?!?! Warum bleiben sie dann nicht gleich in München? Holdrihiho!!

Du bist echt albern. BLÖD! TROTZIG! KINDISCH!

Ja, und Cecile ist plötzlich total witzig und interessant! Wo du sie doch sonst sooooooooooooooooooooo langweilig fandest!

Sie findet ihre Klamotten ja selbst langweilig, deswegen will sie sie umstylen. Dabei helfe ich ihr. So what?

Ach, ihr seid schon wieder verabredet. Verstehe. Zur Stil-Beratung. Schick, schick! – Und bekommst du als Lohn ihre *Luis Vuttonn*–Tasche geschenkt??!!

LOUIS VUITTON! UND NEIN! DIE BEKOMME ICH NICHT GESCHENKT UND WÜRDE ICH AUCH NICHT ANNEHMEN, DU BELEIDIGTE LEBERWURST!!!

Mittwochnachmittag, an meiner Arbeitsplatte

Du bist echt total bescheuert, Emily Fischer! Und das schreibe ich gern noch mal dick in UNSER Heft: EMILY FISCHER IST TOTAL BESCHEUERT!!! Ehrlich gesagt weiß ich gar nicht, ob ich noch lange mit dir in ein und dasselbe Heft schreiben kann. Aber das macht dir sicher nichts aus, weil der Sessel sich bestimmt schon als Ersatz angeboten hat. Macht doch! Mir doch egal! Wahrscheinlich findet sie HDW auch „nett" und kann dich nur bestärken, wie cool der Typ ist. Dann musst du dir ja wenigstens nicht mehr mein Gemeckere anhören. Gut!

Später

Ich hätte nie gedacht, dass du so unter Geschmacksverirrung leidest. Merkst du denn nicht, dass sich *der Sessel* nur zwischen uns drängen will? Also ich kann nicht weiter mit dir befreundet sein, wenn ich nicht sicher bin, ob ich mich hundertprozentig auf dich verlassen kann. Ich muss jetzt wirklich wissen: Bin ich noch deine beste Freundin? Oder willst du Ceciles beste Freundin sein? Ich finde, du solltest dich entscheiden. Noch mal lasse ich mich nicht abservieren! Ich rufe dich jetzt an!

Später

Mist, wieso nimmst du nicht ab? Bestimmt ist es dir scheißegal, wie es mir geht, Hauptsache, du weißt, was du morgen ins Kino anziehst. Wahrscheinlich stehst du vor dem Spiegel, hörst Musik und probierst seelenruhig Klamotten aus.

Später

Okay, es ist scheiße, wenn man eifersüchtig ist. Und peinlich! Aber ich kann es nicht einfach abstellen, Em, es kommt einfach so und brennt im Hals. Mist, jetzt tropfen mir sogar ein paar Tränen aufs Heft. Aber immerhin habe ich den Mut, es ins Heft zu schreiben, weil wir uns geschworen haben, in unser geheimes Klassenbuch schreiben wir die Wahrheit, nichts als die Wahrheit! Und ja, ich bin eifersüchtig!!! Am liebsten würde ich das ganze Heft zerreißen!

Später

Em, ich will nicht eifersüchtig sein! Aber ich will dich auch nicht verlieren! Wir haben schon so viel gemeinsam erlebt. Seit dem Kindergarten bist du meine beste Freundin und ich deine!

Später

Em, es tut mir weh, dass du dich nicht meldest. Ich weiß nicht genau, wo. Es drückt mir sogar die Luft ab. Wahrscheinlich ist es das Herz. Dadurch kann das Blut nicht frisch in die Lunge gepumpt werden. Was ist, wenn ich jetzt sterbe??? *Dann bist du schuld!!!*

Nachmittags in meinem Zimmer (OHNE CECILE!!!)

Alex. Ich habe gesehen, dass du mich angerufen hast, aber ich kann jetzt nicht mit dir reden. Dann muss ich mit dir über Cecile diskutieren und dazu habe ich keine Kraft und keine Nerven, denn es besteht wirklich überhaupt kein Grund, eifersüchtig zu sein! Deine bescheuerte Eifersucht treibt mich echt noch mal in den Wahnsinn! Verdammt noch mal!

Später

Alex. Es tut mir weh, wenn wir uns streiten. Aber ich lass mich auch nicht erpressen. Ich darf auch noch andere Freundinnen haben! ABER: Du bist und bleibst meine allerbeste Freundin. Und wenn du das nicht selbst weißt, nach all den Jahren, in denen wir so ehrlich zueinander waren(!!!), dann tut es mir leid!
Okay, Moment, ich ruf dich doch gleich mal eben an und sage es dir, verdammt noch mal!

Mann, Alex. Wieso gehst du jetzt nicht ans Telefon???? Was soll das? Jetzt schreibe ich hier weiter auf Zetteln, die ich dir erst morgen geben kann. Echt bescheuert, das Ganze! Was soll das? Warum hast du dein Handy jetzt aus? Ich will nicht noch mal auf deine Mailbox quatschen. Spätestens wenn du das hier morgen liest, wird es dir tödlichst leidtun, dass du so ausgeflippt bist! Ich kenn dich doch. Und auch wenn ich jetzt TOTAL sauer auf dich bin, weil du dich so bescheuert benimmst – JAWOHL, BESCHEUERT!!! –, sage ich dir, dass **niemand, wirklich niemand** an unserer Freundschaft rütteln kann. Du bist und bleibst meine allerbeste Freundin. Kapito???!!!

AAAAAAALLLLLLEEEEEXXXXXXX!!!!!!!!!!!!!!!!!!
Na gut. Dann eben nicht.

Geschichte

Tut mir leid, Emily. Ich entschuldige mich hiermit noch mal. Und es ist so toll, dass du mir die Zettel gegeben hast, die du gestern geschrieben hast. Die kleben wir nachher ein, ja? Du kannst dir ja gar nicht vorstellen, wie erleichtert ich bin, dass wir uns wieder vertragen. Ich halte das echt nicht aus, Streit mit dir!! Du bist auch meine allerbeste Freundin. Für immer und ewig!! Komme, was wolle!!!

Alex, ich halte auch keinen Streit mit dir aus. Und vor allem deine ewige Eifersucht nicht!

Kommt nicht wieder vor. Versprochen.

Na gut.

Schwamm drüber?

Ja.

Kleines Versöhnungsranking?

Ja!

Was denn, Jungs?

Ja. Willst du anfangen?

Muss nicht sein, du darfst gern anfangen!

Na gut. Also:

Tobias:	2	Seine Haare liegen in letzter Zeit gut, und zwar ohne Gel.
	2	Ich mag, wie er lacht. Das kommt so von Herzen.
Martin:	1–	Wird von Tag zu Tag schöner;-)).
	2	Scheint nicht nur frische Käsebrötchen zu haben, sondern auch ein frisches Hirn. Seine Beiträge zum Unterricht sind – man kann direkt sagen – wertvoll.

Johan:	4–	Wegen ihm wäre mir vorhin beinahe die Schwingtür gegen die Nase geknallt, weil er sie mir NICHT aufgehalten hat.
	2	Dafür kriegt er bestimmt mal einen starken Bartwuchs.
Stefan:	4–	Hat in Französisch die ganze Zeit gepopelt!
	6	Hat die Popel dann gerollt, bis sie nicht mehr geklebt haben, und durch die Klasse geschnippt. Habe ich genau gesehen! Widerlich!
Rico:	2–	Ist gut drauf in der letzten Zeit und total witzig. Macht mit seinem Charme seine Größe wett.
	4	Ist und bleibt aber ein Macho!
Max:	3–	Hatte gestern ja so rosa Plüschhandschellen dabei, da fragt man sich schon, ob er pervers ist.
	4–	Ja, unscheinbar, aber pervers. Ich glaube, das ist eine schlimme Mischung.

Yusuf:	2–	Er wollte unbedingt die Handschellen mal ausprobieren. Er als Muslim hat so was wohl noch nie gesehen. Vielleicht ist er auch pervers, aber so schön, wie er Französisch spricht, mit seiner weichen Stimme, glaube ich nicht, dass er pervers ist.
	3	Weiß man nie. Das ist ja das Schlimme!
Noah:	3–	Sein Haar sieht aus wie eine Zeichnung von Roy Lichtenstein.
	3–	Hört, hört, da spricht die Kunstkennerin. Vielleicht sollte ihm lieber mal jemand klipp und klar sagen, dass er sich zu viel Gel draufklatscht!

Und damit wäre heute Stefan unser Depp der Woche. Wenn du meine Meinung dazu wissen willst: Das wurde auch mal Zeit!

Englisch

Was ziehst du denn nun heute Nachmittag an?

Lass uns in Englisch lieber nicht schreiben, Mrs Secret guckt schon wieder so komisch.

Was hast du denn in dem Test?

Zum Glück noch ne 3. Und du, schämst du dich gar nicht, dass du schon wieder eine 1 hast?

Nö. 😉

Latein

Mann ey, ich rotiere langsam, weil ich immer noch nicht weiß, was ich anziehen soll. Du erinnerst dich? – Ins Kino! Du glaubst ja gar nicht, wie mein Zimmer aussieht. Ich habe heute Morgen schnell die Tür zugemacht, denn in der Mitte türmen sich Klamottenberge – die Alpen sind dagegen eine Hügellandschaft. Meine Mutter war gestern schon voll am Meckern. Dabei habe ich nur kombiniert, Schlichtes mit Schrillem (das, was ich auch Cecile geraten habe). Und Klassisches mit Chaotischem… Aber ich bin zu keiner endgültigen Entscheidung gekommen.

Was hast du denn Cecile geraten?

Ach, einfach mehr zu kombinieren. Und wenn sie schick sein will, um mit ihren Eltern ins Konzert zu gehen (was sie oft macht), habe ich ihr zwei Kleider empfohlen, in denen ihre schmale Figur bestimmt gut zur Geltung kommt:

- Empirekleid – da sitzt die „Taille" direkt unter der Brust, dadurch fällt der Stoff weicher
- Bleistiftrock – ein Rock, der extrem auf Figur geschnitten ist und sich nach unten hin verengt, wie ein angespitzter Bleistift. Damit man sich darin auch bewegen kann, hat er einen Schlitz (so ähnlich wie bei Anti-Pumps letztens).

Hm. Da hast du dich ja sehr um ihr Aussehen bemüht. Und dann zählt ihr auch noch Knöpfe. Bisschen bescheuert, oder? Ich werde deine Knöpfe jedenfalls nicht nachzählen. Nur, dass du das weißt!

Alex! STOPPP! Jetzt geht das ja schon wieder los! Ich habe keine Lust, weiterzuschreiben oder dir noch irgendwas zu erzählen, solange du schlecht von Cecile sprichst!! (Dazu gehören auch unterschwellige Bemerkungen!)

Physik

Okay. Cecile ist nicht sooo doof. Immerhin hat sie in der Pause das erste Mal mit mir gesprochen.

Könnte es vielleicht sein, dass DU das erste Mal mit IHR gesprochen hast???

Ist ja schon gut. Können wir mal wieder über was anderes reden als Cecile? Hab ich dir schon erzählt, dass ich mir überlege, ob ich Wasserflöhe züchte?

Nein, hast du nicht. Und wieso jetzt Wasserflöhe? Willst du die als Angelköder verkaufen?

Spinnst du?!! Ich verkaufe doch nicht meine Haustiere!!! Ich will sie beobachten und zeichnen!

Mir ist ja auch immer noch nicht klar, wozu du die Fruchtfliegen züchtest.

Wegen der mendelschen Vererbungslehre. Das kriegen wir erst in der 10. Klasse. Aber in der Bio-AG geht es jetzt schon darum. Sauspannend, sag ich dir! Soll ich dir kurz was darüber schreiben? Ist gar nicht kompliziert.

Nee, lass mal, Alex. Muss nicht sein. Übrigens habe ich das Gefühl, dass sich Johan für Cecile interessiert.

Unser Quasi-Ex-Zorro (QEZ)? Wie steht Cecile denn dazu?

Ich glaub, sie mag sein markantes Kinn. ☺
Shit, shit, shit!!! Wusste doch, dass Pappenheimer mich drannimmt! Der hat ja schon die ganze Zeit so blöd geguckt. Hilfe, war das peinlich, da vorn an der Tafel zu stehen und NICHTS zu wissen von dieser scheiß Dichte des Metalls ... – Schreiben uns nachher in Musik weiter, ja? Ich muss mich erst mal von dem Schreck erholen!!!!

Hihi. Das war echt der Knaller, als du gesagt hast: „Herr Pappenheimer, darf ich mich wieder hinsetzen!?" HERR PAPPENHEIMER!!! Wie dir das rausgerutscht ist, war echt DER BRÜLLER!!! Der hat vielleicht mal geguckt ... und dann ist er knallrot geworden. ☺

Alex – ich kann das jetzt nicht alles lesen. Ich muss echt aufpassen!!

Musik

PUH! Peinlich, peinlich, peinlich!! Mir ist immer noch ganz komisch. Bin ich noch knallrot? Weiß jetzt gar nicht, was ich schreiben soll.

Nein. Bist du nicht. Und keine Angst, Aisha, Leila, Carmen und Cecile haben dir ja auch bestätigt, wie cool du warst. Nun mach dir mal keine Sorgen. Jetzt hat der Pappenheimer den Namen bei allen weg. Das kommt davon. Hihi!

Ich bin trotzdem noch total fertig. Und das vor dem Kinobesuch!

Bleibt es jetzt dabei?

Wobei?

Beim Kino.

Ja, klar. Warum denn nicht?

Hätte ja sein können, dass HDW wieder zum Zahnarzt muss …

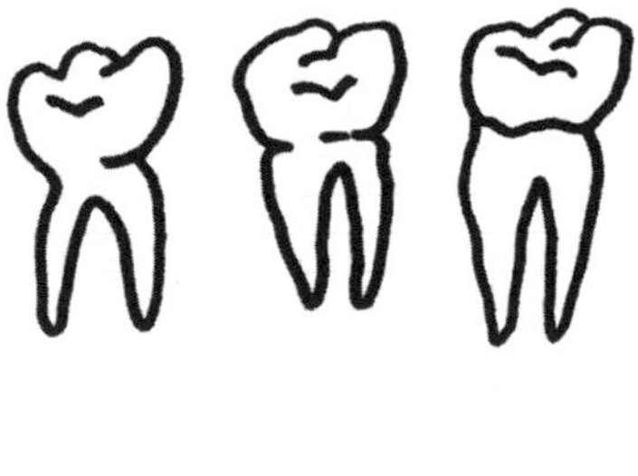

Ethik

Du glaubst es nicht!!!!!!!!!!!!!!!!!!!!!!!!!

Erzähl! Erzähl!!!

Wo soll ich anfangen?

Was hast du denn nun angezogen?????????????

Laaaaangsam, Alex. Ich muss ganz von vorn anfangen. Ich kapier das selber alles noch nicht.
Also, in meinem Zimmer. Ich steh da vor dem Spiegel und bin schon fast zufrieden mit mir, geht die Tür auf und meine Mutter kommt rein. „Kannste nich anklopfen", fahr ich sie an, wobei sie behauptet, sie hätte angeklopft. Hat sie aber nicht. Ich sollte mal die Musik leiser stellen und wie sähe das hier schon wieder aus. Als hätte eine Bombe eingeschlagen. Dabei hatte ich nur ein paar mögliche Kombinationen in meinem Zimmer verteilt. Letztendlich habe ich mich für eine Kombination aus schlicht und chaotisch entschieden:

- schwarze Leggins mit Zebrarock
- schwarzes Top (nicht zu tief ausgeschnitten), darüber meine selbstgestrickte Strickjacke mit den großen Maschen, dazu
- meine hausschweinrosa ausgelatschten Sneakers
- Stofftasche mit verschiedenen Buttons, dazu
- den eisblauen Püschelring
- und die „Schweinekette" (du weißt ja, die mit den drei Spielzeugschweinchen aus dem Kaugummiautomaten, die ich meiner kleinen Schwester abgeluchst habe;-))
- Haare offen
- Make-up: dezent. Keine Wimperntusche, nur schmaler Lidstrich in Schwarz und durchsichtiges Lipgloss

Voilà!!!!

GEIL!

Danke!

Und dann?

Du ahnst es nicht!!!

Nun schreib schon!!!

Bin nur zehn Minuten zu spät gekommen. Aber HDW fand es scheinbar nicht so cool. Jedenfalls hat er demons-

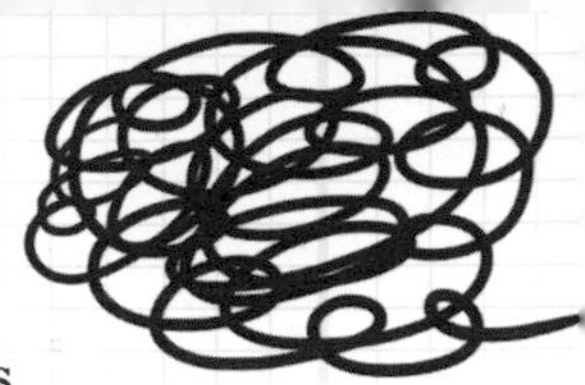

trativ auf die Uhr geguckt, als ich da völlig atemlos angetrabt kam, statt sich zu freuen! Na ja, gefreut hat er sich schon, aber ich finde, er hätte es ruhig zeigen können. Hat aber nur auf die drei kleinen Schweinchen an meiner Kette gestarrt. Und mir rauschte es gleich durch den Kopf: Oh Gott, er findet die Kette kindisch oder doof oder noch schlimmer: versaut!

Ja, die ist ja auch echt versaut. ☺

Wir uns also begrüßt.

Küsschen?

Eher eine Art Umarmung, sind dabei fast mit den Köpfen aneinandergeknallt. War froh, als wir endlich im Kino saßen. Hinten, letzte Reihe. Er hat einmal Popcorn für uns beide geholt. Und dann hatte er auch Bier dabei.

Er: „Willste ein Bier?"
Ich: „Nö."
Er: „Ist ein *Beck's*."
Ich: „Egal. Mag kein Bier."
Er: „Ist ja auch *Beck's*."
Ich: „Ist *Beck's* kein Bier?"
Er: „Doch."
Ich: „Na also!"

Dann haben wir uns angegrinst. Was sollten wir auch sonst tun?

Hab ich mir schon gedacht, dass der so drauf ist.

Willste jetzt weiterhören oder wieder meckern???

Weiterhören!!!!!!!!!!!!!!!!!!!

Dann kam Werbung. Er machte seine Flasche Bier auf. MIT DEM FEUERZEUG! Es zischte und roch wie Rülps. Der Film fing an. Ja, und da ging es los, Alex, gleich von Anfang an. Grusel ist gar kein Ausdruck!!! Ich habe vor Angst fast einen Herzinfarkt gekriegt. Wir haben *Das Waisenhaus* gesehen, so einen alten, irren Gruselfilm, der ab 12 ist (wofür ich ja eigentlich schon zu alt bin). Aber halt dich fest, du glaubst es nicht!!! Ich hab mir vor Angst fast in die Hose gemacht. Ich war wie gelähmt, hätte auch nicht rausgehen können, denn ich hatte sogar Angst, dass Geister schon an der Kinotür auf mich lauern würden … aaaaaaaaaaaaaahhhhh Hilfeeeeee!!! Ich darf gar nicht weiterdenken, sonst krieg ich sogar hier einen Grusel-Rückfall.

Melde dich, das lenkt ab. Und sag was.

Mir fällt nix ein.

Dann erzähl weiter. Glaub mir, hier ist geisterfreie Zone!

HDW hat sich dann sein Bier reingezogen und sich ganz weit zu mir gelehnt. Wir waren schon Arm an Arm und ich spürte seine Wärme. Ich wusste nicht, was ich nun machen sollte. Mich näher an ihn lehnen??? Jetzt, im Nachhinein, fällt mir ein, dass das ja eigentlich Sinn der Sache war. Deswegen hatte ich mich ja für Grusel entschieden. Damit man sich ganz natürlich näherkommt. Aber irgendwie lehnte er sich zu sehr über die Lehne und roch auch so stark nach Bier und Rauch und dann dieser todesgruselige Film! Davon ging eine wahnsinnige, unheimliche Energie aus, die jede physikalische Formel sprengt, ehrlich! Plötzlich wurde mir HDWs Näherkommen auch irgendwie unheimlich. Ich kann das gar nicht erklären, Alex, aber ich sehe es jetzt noch von mir: wie er laaangsaaam seine Hand nach mir ausstreckte, wie ein Wesen, das nicht zu ihm gehört – und dann mein Bein berührt! Ich zucke voll zusammen. Seine Hand liegt auf meinem Bein, sein Gesicht ist ganz nah vor meinem, kussbereit sozusagen, mitten in der GRUSELIGSTEN SZENE! Ich starre auf die Hand! HILFE!!!, behaart! – ACHTUNG, gefährlicher Neandertaler schießt es mir noch durch den Kopf, ja und dann habe ich geschrien. Ganz laut! Und HDW ist das Bier aus der anderen Hand gefallen und ein paar Kinder weiter vorn haben ganz erschreckt geguckt und auch geschrien.

Ach, HDW hat einen behaarten Handrücken? Interessant. Kann er auch mit den Ohren wackeln?

Ich habe ihn nicht gefragt, liebe Alex! Auf jeden Fall ist das Bier ausgelaufen und im Kino ist eine Unruhe entstanden, die auch TOTAL gruselig war. Alle Köpfe haben sich nach mir umgedreht, dann ging's im Film so richtig los … Und ausgerechnet da springt HDW auf, weil ihm auch Bier über die Hose gelaufen ist. Plötzlich war der Sitz neben mir leer und das war mindestens so unheimlich wie seine behaarte Hand auf meinem Bein. Wie kannst du das nur „interessant" finden??!!!

Na ja, nein, nur evolutionstechnisch gesehen.

Egal. Ich kann dir sagen, Alex, ich habe mich mit beiden Händen an den Sitzlehnen festgekrallt, gebetet, dass sich kein Zombie neben mich setzt, und mir gut zugeredet, dass ich, wenn ich diesen Film überleben sollte, mir nie wieder einen Gruselfilm angucke!!! Dann lieber Heimatschnulzen für Omas oder sonst irgendeinen Mist. Ich glaube, ich kann überhaupt nie wieder ins Kino gehen, schon allein, weil es da dunkel ist und unter den Sitzen oder hinter dem Bühnenvorhang Geister lauern könnten, die … AAAAAAaaaaaaaaaaaaaaaaah, Alex, ich kann nicht mehr!!!

Ist ja schon gut. Keine Panik. Wir sind hier in der Schule. Absolut sicherer, zombiefreier Ort (mal abgesehen von einigen Lehrkörpern. Aber die bellen nur und beißen nicht).

☺ ☺ ☺

Kommst du mit aufs Klo? Ich trau mich nicht allein.

Deutsch

Und wie ging's nun mit HDW weiter?

Gar nicht. Der ist irgendwann wiedergekommen und hat den Rest des Films mit verschränkten Armen dagesessen und so getan, als hätte er nichts mit mir zu tun. Nach dem Film standen wir auf der hellen Straße, alles sah ganz normal aus, keine Geister weit und breit. Ich wollte mich so schnell wie möglich verabschieden. Er hat sich eine Zigarette angezündet und die Arme ausgebreitet. Wir haben uns noch kurz umarmt – mit der brennenden Zigarette, ich dachte schon, er sengt mir gleich die Haare an. Dann hat er wieder auf die drei kleinen Schweinchen gestarrt, gleich nach der Umarmung. Ich ahnte sofort, es würde die letzte sein. Ich versteh das nicht! Wie können sich Gefühle nur so schnell ändern? Ich woll-

te nur noch weg. Er wohl auch. Wir haben uns also ohne weitere Worte im Guten getrennt. Das war schon mal beruhigend. Aber nicht lange, denn als ich in Richtung Straßenbahn ging, ging er auch in Richtung Straßenbahn. Stell dir vor, wir mussten in dieselbe Straßenbahn. Und nicht nur das.

Ja was denn? Wieso schreibst du nicht weiter?

Doktor Schnarch hat mich gerade so eindringlich angeguckt. Was will sie denn?

Sie hat gefragt, wer eine Frage zum Buch beantworten will. Schriftlich, übers Wochenende.

Oh, dann melde ich mich schnell. Ich brauche dringend eine gute Note. Ich meld mich mal eben, okay?

Da hat sich aber eine gefreut, auch mal wieder was von dir zu hören. Schreibst du jetzt bitte weiter!

Also. HDW fuhr bis Alexanderplatz. Ich fuhr bis Alexanderplatz. Und kann es noch peinlicher kommen?

Spann mich doch bitte nicht so auf die Folter, Emily Fischer!

Er stieg am Hermannplatz in die U7 um.

Und?

Mein Gott, Alex. Denk doch mal mit! Ich bin am Hermannplatz auch in die 7 umgestiegen. Dass es dieselbe Richtung war und dass wir beide am Südstern ausgestiegen sind, muss ich wohl nicht noch extra erwähnen.

Oh doch!

Na gut. Ich erwähne es hiermit. Und du kannst mir glauben, dass es die längste Fahrt meines Lebens war. Weißt du überhaupt, wie lang es von einer Station zur nächsten dauern kann? Für eine Station haben wir uns natürlich nicht hingesetzt. Er steht an einer Tür, ich an der anderen. Der Wagen ruckelt vor sich hin, alle starren auf den Monitor vom *Berliner Fenster* oder sonst wie durch die Gegend, nur wir starren uns an. Von Tür zu Tür, mehrere Sitzreihen zwischen uns. Er kam mir total fremd vor.

Und?

Am *Südstern* ist er dann die linke Treppe hoch und ich bin die rechte Treppe hoch. Habe extra getrödelt, damit ich ihn oben nicht noch mal treffe. Aber er hat wohl auch getrödelt, denn wir kamen zur gleichen Zeit oben an.

Ach du Scheiße!

Das kannst du laut sagen. Echt, peinlicher geht's nicht! Wenn er wenigstens gelacht hätte oder so. Aber nein, er war todernst und seine Hose war im Schritt noch nass. Ich wollte da eigentlich gar nicht hingucken, aber

Wenn wir euer Heft schon in letzter Minute retten und vorm Einkassieren bewahren, dann dürft ihr uns auch nicht verwehren, ein, zwei Sätze zu lesen. – Deshalb die Frage: Wieso war HDWs Hose im Schritt noch nass???!!! Ist er ein Bettnässer? Um eine handfeste Erklärung kommt ihr diesmal nicht drumrum.

Puh. Das war ja echt knapp. Und man muss sagen, eine super Reaktion von Nicole, dass sie dir das Heft aus der Hand genommen und gleich eingesteckt hat, bevor Doktor Schnarch vor deinem Tisch stand. Sie liest doch so gern vor – bestimmt hätte sie aus unserem Heft auch vorgelesen. Wegen Steffi und Nicole keine Panik, denen erzählen wir schon irgendwas, gleich in der Pause, ja? (Und in Englisch schreiben wir uns heute lieber nicht, okay?)

Religion

Ich habe es ja geahnt! Habe ich es nicht immer gesagt, Alex, dass Carmen irgendwann mal über ihr Ziel hinausschießt mit ihrem Froschflug???!!!

Ja. Hast du. Aber dass so was passiert – und ausgerechnet heute, wo Uggie Vertretung in Sport gemacht hat …

Ich kann's irgendwie noch gar nicht fassen. Aber es war tödlichst komisch, oder???

Das kannst du laut sagen.

Und wie cool Uggie in der schwarzen Trainingshose und mit dem sandfarbenen Hoody aussah. Vielleicht war es sogar was Maßgeschneidertes. Das traue ich ihm durchaus zu. Der Typ hat Geschmack!

Und Humor, sonst hätte er Carmens Sprung nicht so lässig überlebt.

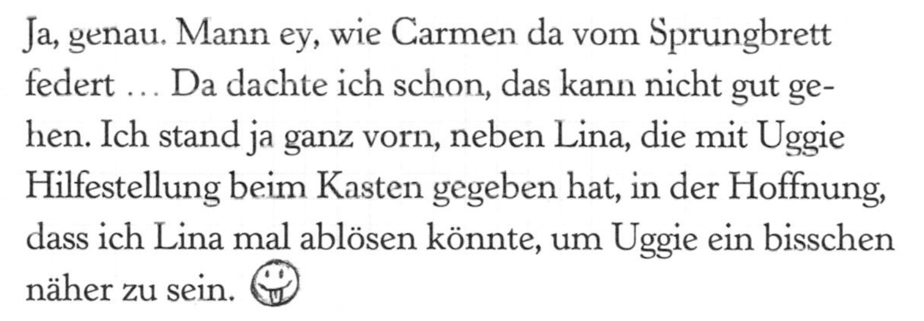

Ja, genau. Mann ey, wie Carmen da vom Sprungbrett federt … Da dachte ich schon, das kann nicht gut gehen. Ich stand ja ganz vorn, neben Lina, die mit Uggie Hilfestellung beim Kasten gegeben hat, in der Hoffnung, dass ich Lina mal ablösen könnte, um Uggie ein bisschen näher zu sein.

Ja, erzähl mal, wie das von vorn aussah. Von hinten in der Schlange konnte ich kaum was erkennen.

Also: Carmen trabt an. Irgendwie schräg. Ihre Haare wippen bei jedem Schritt, wie in der Shampoo-Reklame, und ich dachte schon, Mensch, die guckt ja gar nicht auf den Kasten, da springt sie auch schon ab. Macht den Frosch, ist aber irgendwie zu hoch, zu weit oder zu schwungvoll, auf jeden Fall zu sehr auf Uggies Seite. Er streckt noch die Arme aus, um sie abzufangen – Lina greift voll ins Leere – und da stolpert er schon ein paar Schritte rückwärts und fällt dann hintenrüber auf die Matte, und Carmen voll auf ihn drauf. Da lagen sie nun aufeinander beziehungsweise (im wahrsten Sinne „beziehungsweise“) Carmen lag auf Uggie drauf. Volle Pulle! Als sie sich aufstützt, hat er ihre Brust genau vor der Nase und ihre Haare im Gesicht.

Von meinem Standpunkt aus waren die beiden plötzlich hinter dem Kasten verschwunden. Echt so was von krass! Und wer hat mit dem Klatschen angefangen? Lina?

Nein, sie hat sich gebogen vor Lachen und ist fast erstickt. Steffi und Nicole. Die waren ja ganz aus dem Häuschen. Und wie Natascha rumgequiekt hat …

Fand ich ein bisschen übertrieben.

Ich auch. Als du zur Matte kamst, hatte Uggie gerade Carmen an den Oberarmen zur Seite gestemmt und ist aufgestanden. Und dann hat er gesagt: „Carmen, du bist echt umwerfend“, und hat gelacht.

Ja. Das habe ich mitgekriegt. Cool! Stimmt es, dass er vorher „Hoppla, nicht so stürmisch" gesagt hat?

Ja. Das waren seine „letzten Worte", bevor er rücklings auf die Matte fiel.

Meinst du, Carmen hat das extra gemacht? Das behaupten ja Steffi und Natascha, weil sie doch so perfekt über den Kasten springen kann, da dürfte ihr so was gar nicht passieren.

Uggie hat eben eine enorme Anziehungskraft. ☺

Und wie sich Carmen dann die Hände vors Gesicht geschlagen hat. Meinst du, es war ihr wirklich so peinlich?

Ich glaube schon. Und Cecile war eigentlich die Einzige, die sie getröstet hat.

Ehrlich gesagt, weiß ich nicht, was es da zu trösten gab. In meinen Augen sah Carmen total glücklich aus.

Oh, guck mal! Jetzt müssen wir die ganzen Stichwörter von der Tafel abschreiben. Hilfe!!! – Wollen wir gleich in der Pause zum Bäcker gehen?

Ja. Kussbrötchen hoch zehn.

PS: Mist, jetzt habe ich in Reli überhaupt nichts mitgekriegt und muss mir den Senf extra reinziehen.

Ich auch. Machen wir zusammen. Du ziehst es dir rein und erzählst es mir. ;-)

Mathe

Wie geht es dir? Du siehst echt geschockt aus!

Alex, ich kann es einfach nicht glauben, was Steffi und Nicole da erzählen!

Entschuldige, dir das so klar sagen zu müssen, aber ich denke, es stimmt.

Ich meine, der kann doch da nicht seelenruhig rumknutschen, einen Tag nachdem wir im Kino waren!! Also ich meine, ich bin jetzt nicht eifersüchtig oder so, aber es ist doch wirklich unter aller Sau!!!

Mich wundert es, ehrlich gesagt, nicht. Ich hatte von Anfang an Bedenken, um das mal vorsichtig auszudrücken.

Alex, du alte Klugscheißerin! Du bist ja schlimmer als meine Mutter. Die fängt auch jeden Satz an mit: „Ich habe dir ja gleich gesagt ...!“
LASS MICH IN RUHE DAMIT!!

Geografie

Entschuldige. Das hasse ich selber. Kenne ich auch von meiner Mutter. Und ich habe es auch nicht so gemeint. Ehrlich. Ich wollte dich nur trösten.

Du musst mich nicht trösten. Und HDW kann küssen, wen er will!!!!!!!!!!!!!!!!

Aber ausgerechnet Pupsi. Das ist schon heftig.

Alex, bitte, hör mit deinen blöden Spitznamen auf!!

Ja. Gut. Dann eben Simone Suppenhuhn ... äh ... Auerhahn.

Ich möchte auch diesen Namen nicht mehr in diesem Heft sehen, Alex!!!

Okay, wir streichen ihn aus.

Ich kapier das einfach nicht. Wie kann er mir Liebes-SMS schreiben, mit mir ins Kino gehen und mit du weißt schon wem rumknutschen!! Das ist echt die Höhe, oder? HDW ist ein voll behaarter *Laubenmacho*!

Definitiv! Steffi und Nicole haben übrigens auch gesagt, da hätte sich schon was in Paris angebahnt. Von wegen, die Mädels aus der 9a hätten ihn „genervt".

Will ich gar nichts von wissen. Aber was ich echt krass finde, ist, dass Liebe bei mir so schnell umschlagen kann. Das ist ja direkt unheimlich. Stell dir mal vor, das passiert einem, wenn man gerade geheiratet hat. Bumms, und dann schlägt die Liebe um und du findest deinen Angebeteten nur noch öde.

Ja, gut, dass ihr nicht geheiratet habt.

Was wäre ich ohne deinen Humor, Alex.

Ich bin einfach nur froh, dass du ihn nicht mehr liebst!!!

Ehrlich gesagt, weiß ich gar nicht, ob ich ihn wirklich geliebt habe. Ich meine, wahre Liebe muss doch länger halten, oder, Alex?

KRACH
BRÖSEL
BRECH

Ja. Klar. Das war auch keine „wahre Liebe".

Aber wo findet man denn „wahre Liebe"?

Keine Ahnung, Em.
PS: Weißt du zufällig, ob Martin noch was von seinem Käsebrötchen hat? *I am starving!!*

Du denkst auch immer nur ans Essen!

Nachmittag, in meinem Zimmer

Ach, Alex. So schade, dass ich Donnerstagabend nicht beim Hip-Hop war. Sie haben die Choreografie gefilmt und ich war nicht dabei!
Liege hier gerade auf meinem Bett und versteh gar nichts mehr, schon gar nicht die Liebe. Manchmal krieg ich keine Luft, weil ich so verknallt bin, und dann kann ich den Typen schon nach dem zweiten Treffen nicht mehr sehen – da reicht schon, wenn jemand hässliche Schuhe anhat oder riecht oder rüpelig ist. Oder eine behaarte Hand hat. Manchmal frage ich mich, ob ich überhaupt beziehungsfähig bin. Vielleicht braucht man auch keinen Kerl zum Glücklichsein? Aber ich möchte schon mal eine Familie haben, vielleicht auch Kinder. Aber das ist alles noch soooooo weit weg. Wie oft werde ich mich wohl bis dahin noch verlieben??? Und ob ich überhaupt mal einen festen Freund haben werde? Einen, der es ernst meint?

Später, 16:11 Uhr

Habe gerade mit Jakob gechattet. Er drängt total, mich zu sehen. Aber ich kann heute noch nicht Kickern gehen nach dem Kino-Absturz vorgestern. Ich bin nicht so abgebrüht wie HDW! (Obwohl ich überhaupt nicht im Sinn habe, mit Jakob rumzuknutschen – jedenfalls nicht einen Tag nachdem ich mit HDW im Kino war!) Aber Jakob lässt nicht locker. Was ist bloß los mit ihm?

Später, 16:50 Uhr

Du bist wieder mal nicht zu erreichen, Mist! Alex, wo steckst du bloß?

Später, 19:12 Uhr

Jakob schreibt, dass er mich hübsch findet, schon länger, aber die Umstände es nicht zugelassen hätten, es mir zu sagen. Er hat schon wieder gefragt, ob meine Gangschaltung noch geht. Der immer mit seiner Gangschaltung. „Ja, ja", hab ich gesagt, „mit der Gangschaltung ist alles prima. Einen Platten hatte ich auch noch nicht wieder." Er sei echt froh, dass ich mich bei ihm gemeldet hätte. – Solche Worte, von Bruder Jakob!!! Die habe ich mir schon seit Jahren erträumt. Wäre er damit nur früher rausgerückt, dann hätte ich mir die Schlappe mit HDW sparen können! Wer weiß, Alex, vielleicht wirst du noch meine Schwägerin.

Mir ist ganz blümerant ums Herz. – Cooles Wort: blümerant, oder? Ich mach mir schon mal langsam Gedanken, was ich nächste Woche zum Kickern anziehen könnte.

Deutsch

Du und meine Schwägerin? Das wäre vielleicht gar nicht so schlecht. Aber ehrlich gesagt, liebe Em, ich spüre, da ist was faul! Mein Bruder in dich verknallt? Plötzlich? Ich nehm ihm das einfach nicht ab. Ist doch irgendwie komisch. Soll ich ihm mal auf den Zahn fühlen???

Ich weiß nicht, Alex. Wieso sollte er mich verarschen? Wenn du ihm auf den Zahn fühlst, dann bitte ganz vorsichtig. Wenn du mitkommst, würde ich heute schon zum Kickern gehen.

Komm doch erst mal zu mir. Dann sehen wir, wie Jakob sich verhält. – Vielleicht hat er gerade nur einen Testosteron-Überschuss und seine Balzzeit ist bald wieder vorbei.

Das ist doch kein „Balzen“, Alex!!! Außerdem beleidigst du mich damit. Es geht doch schließlich um mich! Ich bin doch kein Vogel!

Ja. Sorry. An dich hatte ich gerade nicht gedacht. Aber Jakob benimmt sich echt komisch in letzter Zeit. Okay, ich komme mit, aber ich habe nur bis 17:30 Uhr Zeit.

Wieso? Was hast du denn vor?

Ich wollte doch mit José seinen Vater im Labor besuchen.

Josés VATER??? Du bist ja drauf! Alex, was verheimlichst du? Willst du um Josés Hand anhalten? Vorhin, als du ihn am Fahrradstand getroffen hast, da habt ihr euch schon so angeguckt, total intensiv irgendwie, eben Energie pur!

$$\frac{\text{6 (A x J) hoch 2}}{\text{durch Fahrradstand}}$$ ☺

Ha, so eine Formel gibt es nicht, liebste Em.
PS: Außerdem verheimliche ich dir nichts.

Dann eben:

$$\frac{\text{J x A}}{\text{Fahrradstand x vertrocknete Fledermaus}}$$ 😛

Du drehst jetzt völlig durch, oder was???

Na los, Baby, erzähl schon, sonst erfährst du auch nichts mehr von mir!!

Französisch

Bei mir gibt es eigentlich nichts zu erzählen.

WER'S GLAUBT, WIRD SELIG!!!

Na gut. José und ich haben uns gestern bei ihm getroffen und Blutsbrüderschaft geschlossen.

WIE? Ihr habt euch getroffen und ich erfahre nichts davon?

Doch, ich hätte es dir gleich erzählt.

Ich fass es nicht!! Ihr habt **was** geschlossen, Blutsbrüderschaft??? HABT IHR EUCH DAFÜR RICHTIG GESCHNITTEN UND SO??????

Bullshit. Du guckst zu viele Indianerfilme, Em. Wir haben uns gegenseitig in die Fingerbeere gepikst (mit einer sterilen Lanzette!!), weil wir Blutzellen zählen wollten, und dann hatte er die Idee, dass wir ja Blutsbrüder werden könnten.

HILFE, ALEX, DAVON KANN MAN AIDS KRIEGEN!!!

Nun krieg dich mal wieder ein!

1. Kann man nur AIDS kriegen, wenn mindestens einer von beiden HIV-positiv ist (HIV-positiv heißt, man hat den AIDS-Virus in sich).
2. Sind wir aber zu 100% NICHT HIV-positiv. Dafür muss man nämlich G-schl-chtsv-rk-hr gehabt haben. (Setze den richtigen Vokal ein, dann erhältst du das richtige Wort!)
3. Haben wir ganz sicher keinen G-schl-chtsv-rk-hr gehabt! (gleiche Entschlüsselung wie oben 😉)
4. Andere Übertragungsarten kommen bei uns auch nicht infrage, weil wir weder Fixer sind und die gleiche Spritze benutzen noch eine HIV-verseuchte Bluttransfusion bekommen haben. (Das sind die Punkte, die wir in Bio aufgeschrieben haben – du erinnerst dich, Em?!)

Klar erinnere ich mich. So gut ist mein Frischgedächtnis doch noch. Schön. Schön. Dann muss ich also keine Angst haben, dass du bald sterben wirst.

Jedenfalls nicht an AIDS. Aber vielleicht fällt mir schon morgen ein Blumentopf auf den Kopf oder ein Auto fährt mich um oder eine Gräte bleibt mir im Hals stecken.

Meine Mutter sagt immer, die meisten Unfälle passieren im Haushalt.

Dann werde ich 100 Jahre alt, weil ich mich bemühe, möglichst wenig im Haushalt zu tun. (Muss ich unbedingt meiner Mutter klarmachen.)

Und seid José und du jetzt als Blutsbrüder ein Paar?

Wir sind eher Partner, würde ich sagen. Blutsbrüder-Partner, BBP.

Wie romantisch!

Romantisch vielleicht nicht gerade, liebe Emily, aber auf jeden Fall hochinteressant! Wir haben nämlich nicht zusammen den Mond angeguckt, sondern Blutzellen gezählt. – Und nun genug davon. Hast du übrigens schon mitgekriegt, dass Martin heute zwei Käsebrötchen dabeihat? Hm. Lecker!!

Ja. Lecker. Aber lenk mal nicht so schnell ab. Was war jetzt mit den Blutzellen, Mademoiselle Alexandra?

Gleich in Bio, ja? Versteh das mit der Verneinung gerade mal wieder nicht. Französisch ist aber auch so was von kompliziert!!!

Biologie

Na dann spuck's aus, Alex. Wie zählt man nun Blutzellen? Unter dem Mikroskop?

Das ist ein längerer Prozess. Erst mal muss man das Blut haben. Das kriegt man so:

1. Man sticht sich in die Fingerbeere,
2. tupft einen Tropfen Blut auf einen Objektträger und zieht mit der Kante eines anderen Objektträgers den Tropfen über das Glas, also verschmiert das Blut so richtig schön. – Das nennt man ABSTRICH.
3. Den ABSTRICH lässt man trocknen. (In der Zeit haben wir Blutsbrüderschaft geschlossen.)
4. Wenn er trocken ist, färbt man ihn ein. Es gibt dafür spezielle Lösungen! Das wird dann so rosa bis dunkellila.
5. Den trockenen, eingefärbten Abstrich legt man unters Mikroskop und entdeckt dann rote Blutkörperchen (Erythrozyten), weiße Blutkörperchen (Leukozyten) und Blutplättchen (Thrombozyten). Die roten Blutkörperchen sind aber nicht rot und die weißen nicht weiß, sondern alle sind rosa-violett und man unterscheidet sie in der Form.
6. IST DAS NICHT TOTAL ABGEFAHREN???????????

Na ja, ich weiß nicht. Ich find's, ehrlich gesagt, ein bisschen … vampirös. Was hat man denn davon, wenn man im Blut des anderen herumstochert? Und was sind eigentlich „Fingerbeeren"?

Man stochert nicht herum, Em! Man kann sehen, ob man gesund ist. Das ist so krass! Die roten Blutkörperchen (Erys) sind schon hochinteressant. Sie transportieren nämlich den Sauerstoff in den Körper. Wenn wir zu wenig haben, dann werden wir schlapp. Und stell dir vor, wenn man Blutkrebs (Leukämie) hat, ist alles voller weißer Blutkörperchen (Leukos) – dann haben die sich zu sehr vermehrt. Ist das nicht irre???
Willst du jetzt endlich wissen, WIE sie sich vermehren?

Nee, danke. Mach lieber in Bio ein Referat darüber. Dann schlägst du drei Fliegen mit einer Klappe:

1. Du machst gleich einen guten Eindruck bei Bubu,
2. kriegst ganz sicher eine 1
3. und beglückst ALLE mit dem Referat (nicht nur mich allein. Außerdem wird das Thema Vermehrung für mich erst interessant, wenn mehr als nur Zellen im Spiel sind – mindestens Insekten oder eben Schnecken, schneck, schneck. Sind Schnecken eigentlich auch Insekten???).

Noch mal kurz zu José und dir: Dürft ihr euch als BBP eigentlich küssen?

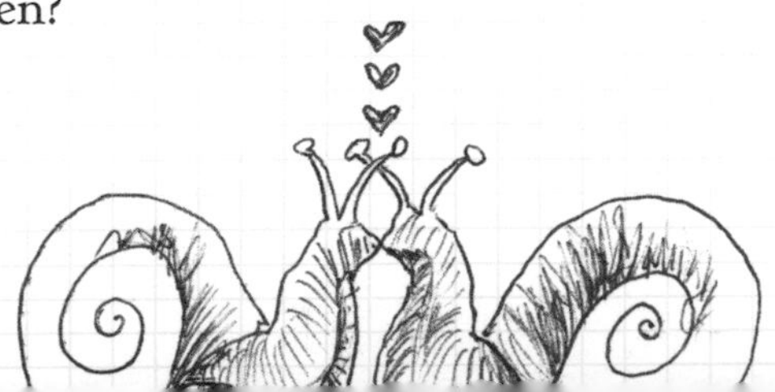

HÄH?????

Ich meine, Brüder küssen sich doch eigentlich nicht.

Wieso sollten wir uns küssen? Wie kommst du denn da drauf? Man muss sich doch nicht immer gleich küssen.

Natürlich nicht „immer gleich". Das ist ja bei euch weiß Gott nicht der Fall! Ich meine ja nur! (Muss ja nicht erst nach der Silberhochzeit sein.)

Ach, Em, was wäre ich ohne deine guten, alten Jokes … Was anderes: Was hältst du von diesem Lehrkörperstreich, von dem andauernd gemunkelt wird? Deswegen rückt uns Cecile ja auch ständig auf die Pelle – und alles wegen deiner Knopfzählerei. (Das war ein Scheherz, Em!)

Wau! Ja. Cool. Gut. – Im Gegensatz zu mir machst du wirklich gute Scherze (mein ich ernst!). Ich bin froh, wenn du scherzt, Alex. Dann gibt es noch Hoffnung (kleiner Scherz meinerseits). In der großen Pause wird der *Lehrkörperstreich* besprochen. Tolle Idee von Cecile. Wer hätte das gedacht?!

Na, da bin ich aber gespannt, was die für Streiche in Bayern machen … Hauptsache, wir müssen keine Lederhosen anziehen …

Warum nicht? Ich könnte mir dich wunderbar in einer Lederhose vorstellen. Besser noch in einem Dirndl. Das wäre echt das Allerschärfste, Alexandra in einem Dirndl. Hihi. – Mist, jetzt hab ich das gerade nicht mitgekriegt. Könntest du mir nachher eine kleine Zusammenfassung von Bio geben und mir vielleicht helfen, meine Mitochondrien zu zeichnen? Und sag endlich mal, ob Schnecken nun noch Insekten sind. ☺

Ach, damit du dich seelenruhig über mich lustig machen kannst, ja?

Na gut, mach ich nie wieder. Also???

Frage 1: Ja, mach ich. Frage 2: Ja, mach ich. (Was kriege ich dafür?) Frage 3: Nein, sind sie nicht. Sie gehören zu der Gruppe der Weichtiere (Mulusken).

Danke. Was du dafür kriegst?
Wie wäre es mit einem Dirndl?

Das hast du nun davon! Jetzt hat Bubu dich ermahnt. Warum gackerst du auch so los. Was ist denn daran so witzig?

Alexandra in einem Dirndl … hahahahahaha!

😂😂😂😂😂

Kunst

Ich fühl mich plötzlich so schlapp, Alex. Hilfe!!

Das kommt davon, wenn man sich über andere lustig macht!

Nee, echt mal, brauche dringend was zum Auftanken. Vielleicht können meine roten Blutkörperchen nicht genug Sauerstoff transportieren.

Dann hast du Eisenmangel.

Wieso denn nun **Eisen**mangel? Du hast doch vorhin noch von **Sauerstoff**mangel geredet.

Ach, erklär ich dir später. Vielleicht leidest du auch nur an ganz gemeinem Schlafmangel;-). Meinst du, wir schaffen es noch in der Pause, nach der Besprechung wegen dieses Lehrkörperstreichs, schnell zum Bäcker zu gehen? Ich könnte dringend ein Kussbrötchen gebrauchen.

Ehrlich gesagt, kann ich keine Kussbrötchen mehr sehen! Ich hol mir lieber eine Rosinenschnecke. Und glaub ja nicht, dass ich mich mit den mageren Infos über deinen Blutsbruder zufriedengebe!!!
PS: Was soll ich denn nun heute Nachmittag anziehen?

Da gibt es nichts weiter zu erzählen.
PS: Lass doch einfach das an, was du jetzt anhast.

Englisch

Und, wie findest du die Idee mit den Renovierungsarbeiten?

Ehrlich gesagt, gar nicht so schlecht. Hätte Cecile solche Ideen NIE zugetraut. Wir sollten ernsthaft überlegen, welchem Lehrkörper wir das zuerst antun.

Ich wüsste schon einen.

Pappenheimer???

Ja. Rache ist süß! 😛

Meinst du, wir kriegen die ganze Klasse dazu, mitzumachen?

Denke schon. Ist doch witzig.

Was ist denn der entfernteste Raum vom Physikraum?

Kunstraum oder Aula, würde ich sagen.

Aula ist unglaubwürdig.

Dann eben Kunstraum.

Wie wir gerade sehen, entwickelt ihr schon einen Plan. Dann verklickert das doch in der nächsten Pause der ganzen Klasse, dann können wir schon morgen loslegen. Am besten du, Alex. Du hast eine kräftige Stimme. (Steffi & Nicole)

Chemie

Der Streich nimmt Formen an. Hihi.

Ja, freu mich schon auf morgen. 

Aber erst freu ich mich auf heute Nachmittag! Ich hab übelst Lust auf Kickern!!!

Dann kommst du so gegen drei vorbei, oder?

Ja. Aber sag mal bitte noch schnell, was ich anziehen soll!

Wie wär's mit einem Dirndl, liebe Emily?

Montagabend, auf meinem Bett

Na, schlimmer hätte es ja nicht kommen können. Und peinlicher auch nicht. Wieso passiert so was immer mir? Okay, du hast mal wieder von Anfang an gewusst, dass da was faul war, bestimmt kannst du mein Gejammer auch nicht mehr hören, aber ich muss mir die Sache mit Jakob von der Seele schreiben, während du in einem Forschungslabor den Schwänzelflug einer Roboterbiene beobachtest. Wie bescheuert ist das denn? Nicht der Schwänzelflug, wobei das auch echt schräg ist, sondern die Sache mit Jakob. Alles CRAZY!!! Ich meine, ich will doch nur einen Jungen, der zu mir passt. Und der mich will. Wieso finde ich nie den Richtigen? Laufen doch genug Jungs rum.

Später, gegen 19 Uhr

Hab dich gerade angerufen. Bist wohl immer noch im Labor??? Braucht es vielleicht nur eine Roboterbiene zum Glück? (Du siehst, so l a n g s a m kommt mein Humor zurück.)

Später, 20:20 Uhr

Hab gerade mit Luise Memory gespielt. Sie hat gewonnen. Wahrscheinlich werde ich schon dement, bevor ich überhaupt eine richtige Beziehung gehabt habe. Huuuaaahhh!!

Später, 21:02

Wenn ich dement werde, ist es vielleicht gar nicht so schlecht, weil ich dann ja auch die Begegnung mit Jakob vergesse. Hätte ich doch bloß auf dich gehört und wenigstens meine Jeans angelassen. In Jeans erträgt man Frust viel besser!

Später, 21:37 Uhr

Alex, sag mal, wo bist du? Warum gehst du nicht an dein Handy, wo ich dich doch gerade so dringend brauche!

Englisch

Ach, Emchen, sorry!!!!!!! Ich bin gestern erst um kurz vor zehn wiedergekommen. Herr Ferrero hat mich nach Hause gebracht. Wir waren völlig in der Forschungsarbeit versunken. Es war auch ein Journalist vom *Tagesspiegel* da. Der will einen Artikel über die Roboterbiene schreiben. Ich habe erst im Auto gesehen, dass du versucht hast, mich anzurufen. Als ich dich dann zurückgerufen habe, war deine Mailbox dran.

Ist ja schon gut. Oder vielmehr: Nichts ist gut! Ich glaube, ich kann Jakob nie mehr unter die Augen treten! Vielleicht liegt ja alles an mir. Wahrscheinlich schrecke ich die Jungs ab. Vielleicht denken die ja, ich wäre durchgeknallt, weil ich alles selber mache und nicht die gängigen *H&M-&-Zara-&Mango*-Klamotten trage (außer Basics) oder zu schrill kombiniere. Ich sehe immer noch Jakob vor mir, wie er mich von oben bis unten anstarrt und dann schnallt, dass ich Mimi bin! Allerdings nicht die Mimi, mit der er kickern gehen wollte …

Das war echt ein Scheiß-Missverständnis. Dass das Mädchen mit den megakurzen Haaren Miriam heißt, wusste ich ja, aber nicht, dass sie sich auf *Facebook* auch Mimi nennt … Mein Bruder ist aber auch echt zu blöd. Ich finde, er hätte merken müssen, dass er nicht mit ihr chattet, sondern mit dir! Er hat ihr ja letztens auch das Rad repariert. Ihre Gangschaltung war kaputt.

Ja, diese bescheuerte Gangschaltung!!! ICH hätte draufkommen müssen, schließlich hat er mich ja oft genug gefragt, ob meine Gangschaltung funktioniert … Uaaaahhh, wie peinlich!!!! ICH bin diejenige, die zu blöd ist!!!!!!!!

Emily Fischer, mach dich jetzt nicht selbst so runter! Und du sahst echt geil aus in den silbernen Hotpants und der schwarzen, zerstochenen Strumpfhose mit den vielen Sicherheitsnadeln. Echt punkig! Aber ich glaube, Jakob steht nicht mehr auf Punk.

WARUM IST DENN IMMER ALLES SO KOMPLIZIERT?? Warum kann das denn nicht einfacher sein – z. B. wie bei den Weinbergschnecken. Die treffen sich, küssen sich und piksen sich mit Liebespfeilen und dann ist alles gut.

Liebste Emily. Ich jedenfalls bin sehr froh darüber, dass du keine Weinbergschnecke bist, sondern meine allerbeste Freundin! So peinlich ist die Mimi-Sache gar nicht. Mein Bruder mit seinem haselnussgroßen Hirn hat das bestimmt schon längst wieder vergessen. Ich ertrage es einfach nicht, dass du wegen ihm solche Selbstzweifel kriegst. Lass dir gesagt sein, Emily Fischer, du bist das tollste Mädchen, das es gibt!!! Und du siehst IMMER fantastisch aus, eigen, nicht wie alle anderen. Darauf kannst du stolz sein!!
Und du wirst ganz sicher bald einen Jungen finden, der dich richtig mag und all das an dir schätzt, nämlich dass du ein außergewöhnlich supertolles, hochgradig kluges, schönes Mädchen bist!!!
Puuuuuuhh!! (Ich meine es ehrlich, Em. *From the bottom of my heart!*)

Ach, Alex. Jetzt muss ich auch noch heulen. Echt! Ich liebe dich auch über alles!!!!!!!

Deutsch

Ohne dich ist Schule unerträglich!!! So ein Mist aber auch, dass du einen Magen-Darm-Infekt hast und es dir gestern Abend so elendig ging. Die Bioarbeit musst du nächsten Montag nachschreiben. Aber mach dir keinen Kopf wegen der Mitochondrien. Musst dir nur merken, dass sie die Energiekraftwerke der Zellen sind – alles andere verklickere ich dir noch. Hier verpasst du gerade nichts. Doktor Schnarch ist wieder voll in ihrem Element. Wir lesen ein neues Buch … Mir fällt vor lauter Gähnen gleich der Stift aus der Hand …

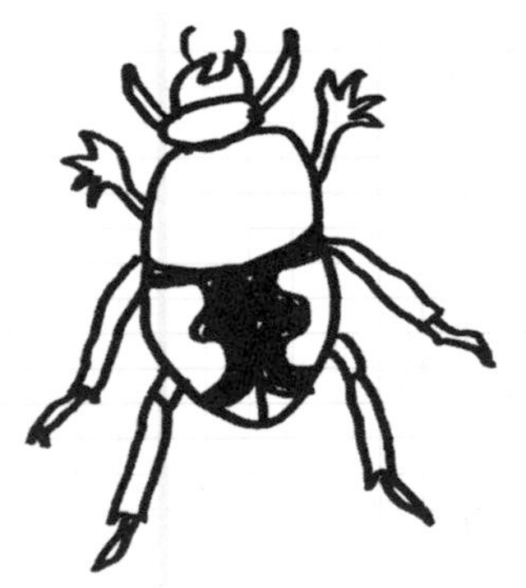

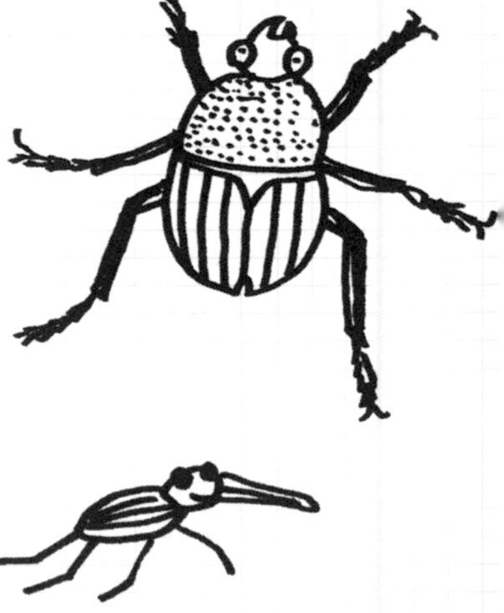

Musik

Mann, so ein Mist aber auch, dass du noch krank bist!!! Wir haben eben in Physik den „Renovierungsstreich" gemacht. Unser Pappenheimer war kurz vorm Platzen. Mannomann, das hätte er ja auch mal mit Humor nehmen können, so wie Frau Schigulla. Cecile hat den Zettel mitgebracht, sauber ausgedruckt.

Wegen Ausbesserungsarbeiten im Physikraum findet der Unterricht im Kunstraum statt.

Wir also den Zettel an die Tür gepinnt und dann mit Sack und Pack hoch zum Kunstraum. Das war vielleicht mal eine Aktion! Sind in Windeseile die fünf Treppen hoch und mussten uns dann unterm Dach verteilen. Ich stand mit Aisha, Leila, Carmen und Cecile im Gang hinter der Garderobe. Von da aus hatten wir die Tür vom Kunstraum super im Blick. Nach unseren Berechnungen sollte Pappenheimer gute zehn Minuten brauchen:

1–2 Minuten, um den Zettel zu lesen, ungläubig die Tür zum Physikraum aufzumachen und tatsächlich niemanden darin vorzufinden (wir hatten noch schön die Stühle hochgestellt).

1 Minute, um zu staunen und sich zu wundern.

1 Extraminute, um sich zu überlegen, was er jetzt macht:

Variante 1: ob er es glauben soll und gleich in den Kunstraum hochtigert

oder

Variante 2: zurück zum Lehrerzimmer, um herauszufinden, was das mit den Ausbesserungsarbeiten auf sich hat und warum ihm das keiner vorher gesagt hat.

Mindestens 6–7 Minuten, um vom Physikraum im Untergeschoss durch den ganzen Westflügel hoch in den fünften Stock des Nordflügels zu gelangen. (Pappenheimer ist ja nicht gerade der Fitteste.)

Wir lagen nicht schlecht mit unserer Berechnung. Er kam nach genau 11 Minuten und 48 Sekunden am Kunstraum an, am Hecheln wie ein Königspudel. Und dann reißt er die Tür auf, statt anzuklopfen. – Was für ein Schock, statt die 7b die werte Kollegin Schigulla mit der 10a anzutreffen.

Statt sich zu entschuldigen, hat er sie gleich angepfiffen. (Du kennst ja seinen Anti-

Charme). Unsere „Schöne" ist mit ihm nach draußen gegangen. Sie standen auf dem Flur – Pappenheimer mit hochrotem Kopf und Schweißperlen auf der Stirn. Wir haben vorsichtig um die Ecke gelugt. Als er ihr dann alles erklärt hat, fing die Schigulla plötzlich an, herzhaft zu lachen! Ich hörte noch, wie sie „Ach wie süß", sagte. Und dass die 7b ja sowieso eine ganz besondere, kreative Klasse wäre.

Leider konnten wir nicht noch mehr mithören, weil wir uns ja schleunigst auf den Rückweg machen mussten. Und dass möglichst leise. Hat auch geklappt. Wir haben den Zettel von der Tür gerissen und uns hingesetzt.

Völlig gechillt empfingen wir Pappenheimer nach gut 9 Minuten. (Rückweg ging schneller, wahrscheinlich wegen Rückenwind.) Leider war er stocksauer. Wir haben alles abgestritten, nach dem Motto: „Zettel – wo?, Ausbesserungsarbeiten – hier? – Nö. Wir warten schon ziemlich lange auf Sie und Steffi wollte gerade ins Sekretariat und nachfragen, wo Sie bleiben ... Wir dachten schon, Physik fällt aus."

Ehrlich, Em. In dem Moment dachte ich, dem kräuseln sich gleich seine glatten Haare, so sehr stand er unter Strom. Er hat uns dann die ganze restliche Stunde Aufgaben aus dem Buch machen lassen und anschließend die Hefte eingesammelt. Will alles benoten. Außerdem haben wir tierisch viel Hausaufgaben aufgekriegt.

Tja, da haben wir uns echt den Falschen ausgesucht. Mit jemand anders wäre es bestimmt lustig geworden. Aber Natascha meinte, jetzt hätten wir ihm wenigstens mal eins ausgewischt. Weißt du, was ich tierisch cool fand: dass unsere Klasse total zusammengehalten hat. Echt, selbst auf Steffi und Nicole war Verlass. Hinterher standen wir in der Pause alle zusammen auf dem Schulhof, als wollten wir auf Klassenfahrt. Das hat's so noch nie gegeben! Ich meine, dass jeder mit jedem quatscht und wir uns alle einig waren, NICHTS zu verraten.

Hoffentlich kommst du morgen wieder zur Schule. Ohne dich ist es echt langweilig! Ich bin heute mit Carmen und Cecile auf dem Schulhof gewesen. Die beiden scheinen sich ja ganz gut zu verstehen und ich muss sagen, Cecile ist tatsächlich nett (aber hatte mal wieder Hyper-Marken-Klamotten an! Mindestens *Armani*! Wirklich: UNMÖGLICH!!!).
PS: Cecile und Zorro flirten heftigst!

Ethik

Mann, hab ich abgekotzt! Wirklich. „Sich übergeben" wäre viel zu vornehm ausgedrückt für die Reiherei. Ich hab bestimmt zwei Kilo abgenommen! Muss mich jetzt mit Rosinenschnecken wieder anfüttern. Nun war ich gerade mal zwei Tage nicht da und scheine ja eine Menge verpasst zu haben. Was ist denn mit Cecile und Zorro los? Und Lina hat einen Knutschfleck? Ausgerechnet Lina? Von wem denn?

Ja, ich glaube, zwischen Zorro und Cecile bahnt sich was an. Und woher Lina den Knutschfleck hat, sagt sie nicht.

Und keiner hat eine Ahnung, wer „der Küsser" ist? Ach, ich hätte auch gern einen Knutschfleck. Ich finde das romantisch.

Na ja, so romantisch ist das nicht. Ein Knutschfleck ist auch nur ein Hämatom (blauer Fleck, der nach Tagen eklig grün-gelb wird). Er entsteht übrigens durch Unterdruck, wusstest du das?

Nee, ich dachte, aus Liebe, Lust und Leidenschaft!

Nee, durch den Unterdruck (vom starken Saugen) platzen die Blutgefäße und das Blut verteilt sich im Gewebe.

Echt, Alex. Du kannst auch alles entzaubern!!! Woher weißt du das?

Wir haben doch Blutzellen untersucht, José und ich. Da haben wir auch das Thema „Knutschfleck" betrachtet.

Wie jetzt? Drück dich doch nicht so geschwollen aus. Ihr habt euch also „theoretisch" mit dem Knutschfleck befasst?

Unter anderem.

Und praktisch????????????????

Haben wir uns gestern geküsst.

Wir wollen nur mal sagen, dass wir das unmöglich finden, dass sich hier andauernd welche küssen!!!! Ist ja nicht auszuhalten!
(Steffi & Nicole)

Deutsch

Alex, ich wusste doch, irgendwas ist anders heute. Und ich dachte schon, es liegt an meiner Kotzerei! Aber dass du und José … Hab ich nicht immer schon gesagt, dass da was schwirrt zwischen euch?

Good vibrations. ☺

Mindestens! Und dann????!

Dann haben wir uns intensiver mit dem Thema Knutschfleck befasst.

Kannst du das nicht ein bisschen genauer erläutern? Lechz! Aber pass auf, dass Steffi und Nicole nicht wieder was mitkriegen.

Wissenschaftlich, liebe Em. Es ging um den ABBAU des Knutschflecks. Das geronnene Blut muss ja wieder abgebaut und abtransportiert werden. Dafür müssen Enzyme den Blutfarbstoff (Hämoglobin) spalten. Übrig bleibt das gelbe Bilirubin, das dann weitergeleitet wird und über die Nieren ausgeschieden wird.

Heißt das, man pinkelt am Ende den Knutschfleck wieder aus???

Ja, könnte man sagen.

Arme Lina! Das verraten wir ihr lieber nicht. Sie wirkt so glücklich. Aber kaum zu glauben, dass sie einen Freund hat. Und dass sich da was zwischen Zorro und Cecile anbahnt. Liebespärchen in der eigenen Klasse! Eigentlich eklig, oder?

Ja, echt inzuchtmäßig, aber was willst du machen?

Ich finde übrigens ganz toll, dass du Cecile jetzt nicht mehr so doof findest! Und soll ich dir mal was sagen? Ich fand Carmen eine Zeit lang doof, weil ich neidisch auf sie war. Ich wäre nämlich auch total gern so elegant über den Kasten „geflogen".

Ach, sieh an, sieh an. Direkt in Uggies Arme ... :-)

Nein, ich meine überhaupt.

Aber auch in Uggies Arme. Gib's zu.

Ja. Auch in Uggies Arme. ☺

Religion

Ich fass es nicht. Weißt du, warum sich Steffi und Nicole auseinandergesetzt haben????

Nein.

Sie haben sich anscheinend gerade in der Pause ein Heft gekauft. Und damit schreiben sie sich jetzt. Ist das nicht krass?

Prima. Dann lassen sie uns wenigstens in Ruhe, hoffentlich. Aber das heißt auch, dass wir jetzt ihr Heft weitergeben müssen.

Echt, es wird immer alles komplizierter!

Trag es mit Fassung. Und guck mal, Martin winkt dir mit seinem Käsebrötchen.

Ich fass es nicht. Er hat mir ein ganzes Käsebrötchen geschenkt. Ist das nicht süß!!!

Lässt du mich mal beißen?

Ja, nachher in der Pause. Wenn du nicht wieder mit José rumchillst.

Doch.

Wie, doch??????????????????????????

Em, ich muss dir was sagen. Ich weiß nur noch nicht, wie.

Himmel, Alex, mach's nicht so spannend!!!

Also ich glaube, ich gehe jetzt mit José.

Was heißt: „Ich glaube"???

Also, eben am Fahrradstand, da hat er mich gefragt, ob …, also, na ja, ob ich mit ihm gehen möchte.

Hör doch mal mit diesem „Also" auf! Kannst du jetzt keinen richtigen Satz mehr schreiben, oder was!!!! Und warum machst du es so spannend? Immerhin habt ihr euch schon geküsst.

Ja. Eben am Fahrradstand noch mal.

Alex! Ihr habt euch hier geküsst??? In der Schule, am Fahrradstand, eben, in der kleinen Pause? Und ihr geht jetzt offiziell miteinander?

Ja.

Und das sagst du mir nicht?

Tu ich doch!

Oh, wie romantisch!!! Alex, ich freue mich ja so für dich. Echt! So was. Wer hätte das gedacht, du und José … Herzlichen Glückwunsch!

Danke.

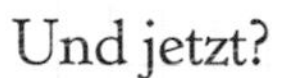

Und jetzt?

Nichts und jetzt. Ich weiß auch nicht. Ich bin gerade so benommen. Kannst du für mich aufpassen?

Klar. Mach dir keine Sorgen!

Geografie

Ich fass es nicht. Stell dir vor, Cem hat mir gerade eine SMS geschrieben!

Cem? Der Hip-Hop-Tänzer?

Ja, der coole, süße Cem!

Und? Spann mich doch nicht so auf die Folter, Em.

Er schreibt, dass er mich echt nett findet und dass ich total gut tanzen kann! Und ob ich am Wochenende bei einem Workshop mitmachen will, den – und nun halt dich fest – er leitet!!!

Boah, das hört sich cool an.

Ich könnte schreien vor Glück!!!

Aber lieber nicht jetzt, im Unterricht.

Ach, Alex … Was meinst du, wie süß Cem ist. Und er hat auch einen tollen Charakter. Er war auch noch nie aufdringlich oder hat blöde Sprüche gemacht. Es ist einfach himmlisch, mit ihm zusammen zu tanzen!

Aber schmelz nicht gleich wieder dahin, wenn er dir fette Liebeserklärungen macht. Lern ihn erst mal in Ruhe kennen und dann sehen wir weiter.

Ja, Mama.

Soll ich dir mal was verraten?

Nur zu!

Eigentlich ist es ein Geheimnis zwischen mir und José.

Ich sag's bestimmt nicht weiter, Alex!

Stell dir vor, José und ich wollen unbedingt mal nach Samoa, weil es doch da die kleinste Spinne der Welt gibt, du erinnerst dich? *Patu digua*.

Klar erinnere ich mich. Das ist die Spinne, die nicht größer als ein Punkt ist. Aber die seht ihr dann doch gar nicht!

Wir schon.

Na dann … Eine Frage, Alex. Warum verbrennt man eigentlich Gummibärchen, züchtet Fruchtfliegen oder beobachtet das Balzverhalten von Laubenvögeln, wenn man das Wichtigste doch nicht erklären kann, nämlich die Liebe.

Man muss nicht ALLES verstehen, Em.

Sagst du!!!??

Sag ich. Und jetzt lass uns lieber ranken.

Okay. Jungs-Ranking. Du fängst an.

PS: Alex, kennst du den schon:
Pappenheimer erwischt Tobias beim Schlafen im Unterricht. Pappenheimer: „Ich glaube nicht, Tobias, dass das hier der richtige Platz zum Schlafen ist."
Tobias: „Ach, geht schon, wenn Sie ein bisschen leiser reden könnten …"

Hi hi hi …

90% der Bäume im Regenwald sind Bäume

Wenn gar nichts mehr hilft, Augenbrauen hochkämmen.

ACHTUNG! Und jetzt kommt eine Danksagung der Autorin:

Danke, Anke! ☺

Nee, mal im Ernst. Das Buch hat sehr viel Spaß gemacht und ich bedanke mich bei Anke Thiemann, die immer alle Käfer, Fliegen und Spinnen einfangen musste, und bei Bianca Schaalburg und Katja Spitzer, die so toll dazwischengekritzelt haben. ☺

Des Weiteren bei Josefine Till, Marcel Lukas und Marian Weiland für diverse Lehrerbeobachtungen, sowie Paula Dölling, die mir unpassende Wörter angestrichen hat, nach dem Motto: „Wir sind ja nicht mehr in der Steinzeit".

Das war aber gut geantwortet
NEIN
Heute kommt der Nebel zu Fuß.
KRACH
BRÖSEL
BRECH
NEIN
Da kräuseln sich meine Fußhaare!
KRACH
BRÖSEL
BRECH
Dann lass ich mal den Geier fliegen!
!
NEIN
KRACH
BRÖSEL
BRECH